新潮文庫

卒業

重松清著

新潮社版

8075

目次

卒業

まゆみのマーチ

1

夜間通用口から病院に入った。昼間に訪ねたことは何度も——この半年間で十回以上あったが、夜は初めてだったので、エレベータホールへの道順がわからず、いったん外来のロビーに向かうことにした。非常灯だけが点《つ》いた廊下は、空調が効いているせいで深夜のオフィスビルのような肌寒さは感じないが、消毒薬のにおいの溶けた暖気が頬《ほお》にまとわりついて、鼻の奥がむずがゆくなってしまう。

歩きながらコートを脱ぎ、携帯電話の電源を切った。今夜のうちに、外に出てこの電話を使うことがあるかもしれない。妻の奈津子《なつこ》は、今夜は枕元《まくらもと》にコードレス電話の受話器を置いて眠るから、と言っていた。リビングの鴨居《かもい》には家族三人——僕と奈津子の喪服と、一人息子の亮介《りょうすけ》の学生服が掛かっているはずだ。それとも、服はもうスーツケースに収められているだろうか。

病院に詰めている伯父から連絡を受けて、とるものもとりあえず会社から羽田空港に向かい、最終便に飛び乗ったのだった。搭乗口のゲートが開くのを待つ間に、家に電話をかけた。「そろそろ、みたいだ」の一言で奈津子には通じた。「だいじょうぶ？」と訊《き》かれ、「平気さ」と笑うと、胸の奥が鈍くうずいた。

母が死ぬ。

おそらく、あと数時間か、長くても一日か二日のうちに。

思っていたより冷静に、それを受け容《い》れられた。先月に一度、危篤《きとく》状態に陥って覚悟を決めていたせいかもしれない。マイレージの登録をする余裕さえ、あった。機械にカードと搭乗券を入れながら、奈津子の側の親戚《しんせき》のどこまでに連絡するかを話していたら、奈津子は「こんなときに言うのって悪いと思うけど」と申し訳なさそうに言った。「亮介、やっぱり無理かもしれない、って」

その言葉も落ち着いて聞くことができた。「おばあちゃんとお別れする気はあるんだろ？」と返す声も、震えたりかすれたりはしなかった。

「うん……それはもちろん、そうなんだけど……」

「今夜はゆっくり寝させてやれよ。で、たぶんお通夜《つや》は明日かあさっての夜で、葬式はその次の日だから、とにかく葬式にさえ間に合えば格好はつくんだから」

電話を切った。「お通夜」と「葬式」が耳に届いたのだろう、そばにいた若いサラリーマンがちらちらとこっちを見ていた。

母が死ぬ。

父はすでに四年前に亡《な》くなった。

大学進学でふるさとの家を出たのは、十八歳のときだった。いまは四十歳。上京後の日々のほうが故郷で暮らした日々よりも長くなったのを待っていたように、父は逝《い》き、母ももうすぐ逝く。僕が「息子」として過ごすのは、もしかしたら、今夜が最後になるのかもしれない。

外来ロビーはがらんとしていた。ここまで来れば、エレベータホールまでは通い慣れた道順だ。一分もしないうちに四階の母の病室に着くだろう。

ちょっと早すぎるかな、と思った。もったいぶってもしょうがないんだけどな、と苦笑して、こんなところで寄り道をして死に目に会えなかったらバカだぞ、と自分にあきれながら、壁際《かべぎわ》の自動販売機に向かい、紙パック入りのコーヒー牛乳を買った。

何列も並んだ長椅子《ながいす》のいちばん隅に腰を下ろして、コーヒー牛乳をストローで啜《すす》る。何年ぶりだろう。亮介がまだ小学校の低学年の頃は冷蔵庫のドアポケットにいつもコーヒー牛乳が入っていて、風呂《ふろ》あがりに「懐《なつ》かしいなあ」と言いながら飲むこともたまにあったが、最近はそれもなくなった。ひさしぶりに飲むコーヒー牛乳は、甘さよりもほろ苦さのほうが舌や喉《のど》に残る。

壁の時計を見た。午後十時。窓ガラスが夜風に叩《たた》かれて、カタカタと音をたてている。

出がけの東京は霧のような雨が降っていた。冬の初めの冷たい雨だった。ふるさとは東京より八百キロ近く西にある。南側に海が広がる温暖な土地でも、冬が来ないわけではない。先々週訪ねたときにはまだ山の紅葉が盛りだったが、さすがにもう山は冬枯れの色に変わっているだろう。今夜、空港から乗ったリムジンバスの窓ガラスは白く曇っていた。バスに乗り込む前に見上げた夜空には、真ん丸からほんの少し欠けた月が浮かんで、真っ暗な夜空よりよほど寂しげだった。

コーヒー牛乳を飲み干すと、体が少し冷えて、ぞくぞくっと身震いした。コートを羽織って、空《から》になった紙パックを手のひらの中で握りつぶしたら、エレベータホールのほうから、物音が聞こえた。エレベータがフロアに着いた音だ。扉の開く音がつづき、靴音がこっちに近づいてきた。

長椅子に座ったまま振り向くと、薄暗がりのなか、女性の人影がロビーに足を踏み入れるところだった。

彼女が先に、僕に気づいた。立ち止まって、かすかな明かりに透かすようにこっちを覗《のぞ》き込み……「おにいちゃん？」と訊いてきた。

妹のまゆみだった。

よお、と軽く手を挙げて応《こた》えた。「ひさしぶりだな」と、これは声に出して。

まゆみは少し足を速めて僕のそばまで来た。

「どうしたん、こんなところで。おじさんもおばさんも心配しとったよ。幸司《こうじ》は飛行機に間に合わんかったんじゃろうか、って」

「……ちょっと休憩してたんだ」

コーヒー牛乳の紙パックを見せると、まゆみは、なにそれ、と苦笑した。

「おふくろ、どうだ？」

「うん……もう意識はないんよ。でも、心臓のほうはわりとしっかりしとるんよね。お医者さんも、明日の朝まではだいじょうぶなんじゃないか、って」

「病室にはおじさんとおばさんだけ？」

「そう。三人でおると息が詰まるけん、うちも休憩」

まゆみはそう言って自動販売機に小銭を入れ、オレンジジュースのボタンを押した。

「ビールでもあるといいんだけどな」

「なに言うとるん」

紙パックにストローを差して、僕の隣に座る。腰を下ろしたときに、ふーう、と長い息をついた。

「いつ来たんだ？」

「夕方」

「おばさん、ぎゃんぎゃん言ってただろ」

「うん……最後の最後ぐらいは親孝行しんさい、って。これで死に目に会えんかったら、あんた、ほんまにおかあちゃんに苦労だけさせたことになるんよ、って」

まゆみは意地悪そうな声色をつかって言った。僕がとりなして「まあ、おばさんにもずっと迷惑かけてきたんだからな」と言っても、返事をしなかった。

伯母夫婦――母の姉の夫婦には、ほんとうに迷惑をかけ、世話になった。僕は東京で、まゆみは大阪。ふるさとを離れてしまった子ども二人に代わって、母の看病はほとんど伯母が一人でつづけてきたのだった。

「おにいちゃん」

「うん？」

「おかあちゃん……死んじゃうね」

「ああ……」

「おとうちゃんも死んで、おかあちゃんも……死ぬんやね」

「しょうがないだろ、それは」

父は六十七歳で亡くなり、母は、おそらく六十八歳で亡くなる。長生きとは言えない。奈津子の実家では、おばあちゃんが八十七歳で、まだ元気に畑仕事をしている。

それでも――もういいさ、と思う。父も母もじゅうぶんに生きたんだと、僕自身、人生の半ばを過ぎて、そう思えるようになった。

「元気にしとったか？」

ふるさとの言葉をつかって訊いてみた。なんとなくぎごちない言い方になった。僕はもう、東京の言葉で話すほうが自然だ。

まゆみは「おにいちゃんと会うの何年ぶり？」と逆に訊いてきた。

「親父《おやじ》の三回忌で会っただろ。だから、二年ぶりぐらいじゃないか」

「おかあちゃんのお見舞いも、ぜんぶ入れ違いやったもんね。奈津子さんや亮ちゃん、元気にしとる？」

「うん、まあ、元気だけど。おまえは？」

まゆみはストローを軽くくわえ、ジュースを啜らずにまた口から離して、「どうやろうね」と首をかしげて笑った。

暇なときに電話をかけあうような兄妹ではなかった。年賀状のやり取りもしていない。お互いの近況は母を通して聞くだけで、母だって僕とまゆみの暮らしのすべてを知っているわけではない。

冷たい間柄だ、と奈津子にはときどき言われる。僕は「そうかもな」と認めるときもあれば、「そんなことないって」と言い返すときもある。自分でもよくわからない。ときどき冗談の顔と声で言う「あいつの話を聞いたら、最後は説教するしかなくなっちゃうからな」が、あんがい本音なのかもしれない。

「いま、おまえ、大阪なんだろ？」――そんなことまで、あらためて訊かなければわからない。

まゆみは小さくかぶりを振った。

「いまはね、神戸におるんよ」

「仕事……神戸から通ってるのか？」

「仕事って、おにいちゃん、おかあちゃんからどこまで聞いとるん？　デザイン事務所を辞めた話は聞いた？」

「うん、それは聞いて、で、なんだっけ、知り合いの小料理屋だっけ、そこを手伝ってるって」

「ああ、あれ、すぐ辞めた。辞めて、インテリアのお店で売り子さんやって、そのあとまたふつうの会社の事務で就職したんやけどね……先月辞めて、神戸に引っ越したんよ」

五つ違いの兄妹だ。まゆみも、もう三十五歳になる。

一人暮らし――建前としては。

だから、僕も、仕事から先のことは訊かない。

「神戸でなにやってるんだ？」

「ボランティアで、ほら、震災で身寄りのなくなったお年寄りのひと、たくさんおるでしょ。そういうひとのケアをしとるんよ」

「生活できるのか？　そんなので」

「それは、まあね、いろいろと」

まゆみは笑った。僕はもうなにも訊かない。四十歳の兄貴が三十五歳の妹の人生に口出しをするのは、やはりみっともない話なのだと思う。

二年前に会ったときはソバージュだった髪は、いまは短く切り揃《そろ》えられていた。ジーンズにハイネックのシャツにカーディガン。高級そうなものはなにもないが、こざっぱりとしているから、とりあえず生活に困ってはいないのだろう。それだけ確かめれば、いい。

「なかなか落ち着かないな、おまえも」

「そうやねえ、なんでなんやろね、自分でもようわからんけど」

「おふくろが入院してから、ちょっとは話、できたのか」

「うん、泊まったときなんかはね。おかあちゃん、昔のことばっかり話すんよ」

「そうか……」

「いつやったかなあ、おかあちゃんの背中さすってあげながら、『まゆみのマーチ』を歌《うと》うてあげたんよ。そうしたら、おかあちゃん、急に涙ぽろぽろ流して泣きだした」

『まゆみのマーチ』――懐かしい言葉を、ひさしぶりに聞いた。

歌の名前だ。母が小学生だったまゆみのためにつくった歌。どんなメロディーで、どんな歌詞なのか、僕は知らない。訊いても二人とも教えてくれなかった。父もたぶん、最後まで知らないままだっただろう。

「なあ、『まゆみのマーチ』って、ほんとに、どんな歌なんだ?」

まゆみはジュースを一口啜って、「ないしょ」と笑った。「うちとおかあちゃんだけの秘密やもん」

うちとおかあちゃん、と言うときに、ちょっと嬉《うれ》しそうな声になる。幼かった頃のまゆみの姿が、一瞬、浮かぶ。いつもまゆみのそばにいた、あの頃の母の姿も、一緒に。

「神戸に引っ越したこと、おふくろには教えたのか？」

「ううん、もう、こういうときに心配かけてもしょうがないしね」

僕は黙ってうなずいた。

「おにいちゃんは？　おかあちゃんとたくさんしゃべってあげた？　おにいちゃんの話やったら、おかあちゃん喜ぶけん、いっぱい自慢してあげた？」

苦笑して聞き流し、そっと目をそらした。

両親の自慢の息子だった、と思う。子どもの頃から「しっかりした子」だと言われつづけていた。勉強もよくできたし、スポーツも得意だったので、学校ではずっとリーダー格だった。高校は地区でいちばんの進学校に進み、一流と呼ばれる東京の私大に現役で入学した。就職したのは名前を言えば誰でも知っている総合商社。三十代前半までは、日本にいるよりシンガポールとマレーシアで過ごした日々のほうが長かった。いまは本社で営業企画のセクションを一つ率いて、上海《シャンハイ》でのビジネスモデルを構築しているところだ。

それでも、病室で仕事の話をしても母はあまり喜ばなかった。「おかあちゃんには難しいことはようわからんけん、幸ちゃんが元気でやりよるんなら、それでええ」としか言わない。

代わりに母が訊《き》いてくるのは、決まって、亮介のことだった。

「亮ちゃんは元気で学校に行きよるん？」

入院して気持ちが弱くなったのか、ほんとうに、それぱかり何度も訊いてきた。

僕はいつも「元気だよ」と答えた。あいまいにしか笑えなかった。

まゆみはジュースを飲み終えると、伸びをしながら長椅子から立ち上がった。

「おにいちゃん、まだ行かんの？」

「ああ……もうちょっとだけ、ここにいる」

「おじさんになにか言うとこうか？」

「いや、いいよ、すぐに上がっていくから」

怪訝《けげん》そうに僕を見たまゆみは、クスッと笑った。

「おにいちゃん、おかあちゃんが死んでいくの、怖いんと違う？」

そうかもしれない。まったく的はずれなのかもしれない。自分でもよくわからない。

最近、自分自身の気持ちをはっきりと「こうだ」と言えなくなってきた。いつもどっちつかずになってしまう。

「うちは怖《こお》うないよ。悲しいことは悲しいけど、でも、おかあちゃん、もうゆっくり寝させてあげたいもん。痛い思いしたり、気持ち悪うて夜も寝られんのは、かわいそうやもんね」

　母はガンだった。不正出血がつづいたので病院で精密検査を受けたら、子宮にガンが見つかった。それが春先のことだ。すでにリンパ節にも転移していて、手遅れの状態だった。膵臓《すいぞう》、肝臓、腎臓《じんぞう》と転移して、秋に入ると、脳も冒された。痛みを取り除くためのモルヒネの投与を医師に持ちかけられたが、僕は母が最初に危篤《きとく》に陥るまで断りつづけた。あとでそれを聞いたまゆみは、おかあちゃんがかわいそう、と涙を流した。伯母から聞いた。おにいちゃんは強いから、厳しすぎるから、と言っていたらしい。

「ぜんぜん怖うないよ、ほんま、うちは」

　まゆみは念を押すように言って、自分の胸を指差した。さっきと同じように嬉しそうな、なにかを自慢するような顔になった。

「おかあちゃん、昔からずうっと、ここにおるもん。『まゆみのマーチ』、歌うてくれとるもん」

僕には聞こえない歌を、母はまゆみに歌いつづけてきた。いまも、失った意識の中で、母は歌っているのかもしれない。

「じゃあ、先に行ってるね」と歩きだしたまゆみを、呼び止めた。

「なんか……こういうときに言うような話じゃないんだけど……」

「どうしたん?」

「おふくろの葬式、奈津子と亮介、来ないかもしれないんだ」

「なんで? 亮ちゃん、学校が忙しいん?」

「あいつ……学校に行ってないんだ。家から出られなくなっちゃって、奈津子がついててやらないと、ちょっと、家の中でも心配で……」

「引きこもり?」

「そういうんじゃないんだけど、調子悪くてさ、最近。だから、まあ……それだけ、先に言っとこうと思って」

話しているうちに声がくぐもり、自然とうつむいてしまった。

しばらく沈黙がつづいた。まゆみはなにも応えず、といって、立ち去りもしない。

「まあ、一時的なものだとは思うんだ」

顔を上げ、無理に笑ったが、まゆみは笑い返さなかった。

「おにいちゃん、『亮介のマーチ』って歌える？　歌うてあげればええのに」

僕の答えを待たずに歩きだした。途中で振り向いて、「うちの話は参考にならんと思うよ。あの頃といまとでは時代が違うけん」――顔は笑っていたが、声は、ぴしゃりと壁や床に響いた。

「……わかってるよ、そんなの」

僕の声は、また低く沈んだ。

まゆみはもう振り向かずに、太い柱を回り込んでエレベータホールに向かった。僕はため息を呑《の》み込んで、その姿をぼんやりと見送る。

とりたてて変わったところはない、ごくふつうの歩き方だった。

だが、それがどうしてもできなかった日々が、かつて、まゆみにはあった。

もう三十年近くも前の、遠い、遠い昔ばなしだ。

2

幼い頃のまゆみは、歌の大好きな女の子だった。童謡からテレビ番組の主題歌、流行《はや》りの歌謡曲まで、いつもなにかの歌を舌足らずな声で口ずさんでいた。

歌手になるのが夢だった。母のヘアブラシをマイク代わりに、しょっちゅう鏡台の前でリサイタルを開いていた。天地真理、南沙織《さおり》、にしきのあきら、麻丘めぐみ、森昌子《まさこ》……幼稚園の年長組の頃にフィンガー5がデビューすると、ボーカルの妙子《たえこ》に憧《あこが》れて、でも自分のほうが歌は絶対に上手《うま》いのに、と唇をとがらせていた。

「まゆみはミュージカルをやりよるみたいなものやねえ」

母はよく笑っていた。

実際、まゆみの歌はほとんど途切れることがなかった。朝起きて服を着替えるときも歌う。歯を磨くときにはハミングで歌う。トーストをかじりながら歌う。お風呂《ふろ》に入っていても歌う。トイレの中でも歌う。「おやすみなさい」を言って布団《ふとん》に入ったあとまで歌うのだ。

「まゆみは寝てからも、寝言の代わりに歌を歌うんじゃけん」

父はからかうように言っていた。もしかしたら、それはまんざら冗談ではなく、ほんとうのことだったのかもしれない。

歌っているときのまゆみは、いつも楽しそうだった。楽しくないことをしなくてはいけないとき――たとえば遊んだあとでオモチャを片づけるときでも、インフルエンザの予防注射を打つときでも、歌を口ずさむだけで、ふくれつらや半べその顔は笑顔に変わる。

僕は、まゆみのそんな笑顔がとても好きだった。本人が信じ込んでいるほど歌が上手いとは思わなかったが、にこにこと微笑《ほほえ》みながら歌うまゆみを見ていると、こっちまで楽しくなってくる。

五歳違い、しかも男と女という違いもあるせいだろうか、僕たちは兄妹喧嘩《げんか》はほとんどしなかった。歳《とし》の近いきょうだいのようにお互いに張り合うこともない。兄と弟なら「おにいちゃん、おにいちゃん」とつきまとわれてうっとうしく思ったかもしれないが、まゆみはとにかく一人で歌っていればそれで幸せな女の子で、僕はまゆみのおにいちゃんというより、両親と同じ側から、どう言えばいいのだろう、小さな小さな宝物を見るように、まゆみのことを見ていたのだった。

歌が終わると、ときどき拍手をしてやった。照れくさそうにおじぎをして、「では、次の歌を歌います」とヘアブラシのマイクを両手で口元にあてるまゆみは、ほんとうに小さくて、あどけなくて、愛らしかった。

だが、いまの僕は――あの頃の両親よりも年齢が上になった僕は、思うのだ。親父《おやじ》やおふくろも、のんきなものだったよな。あきれ顔で、ため息をついて、やれやれ、と首を横に振る。

ミュージカルのように、なにをやっていても歌を口ずさむなんて、ちょっとおかしいじゃないか。おとなは、そんなことはしない。学校に通う子どもだって、歌を歌ってもいいときとよくないときの区別ぐらいついている。

まゆみには、それができなかった。幼稚園の頃に両親が「いまは歌うたらいけんのよ」と厳しくしつけなかったせいだろうか。生まれつき学校や社会のルールと嚙《か》み合わない子どもだったのだろうか。

幼稚園の先生は、あるとき、母に言った。

「まゆみちゃんが部屋にいると、にぎやかすぎちゃって、先生の言うことなんて、だーれも聞いてくれないんですよ」

やんわりした抗議や、あるいは警告だったのかもしれない。母はそれを聞いても「あらあら、まあまあ」と笑うだけで、母から聞かされた父も「まゆみは宴会部長じゃのう」とおどけて言うだけだった。僕の両親は、悲しいほどのんきなひとたちだったのだ。

まゆみは小学校に入学した。

僕は六年生だった。児童会長として、新入生を迎えた。入学式のプログラムの終わり近くに用意されている『在校生からのあいさつ』を代表でつとめることになっていた。

講堂に折り畳み椅子《いす》を並べてつくった教師の席のいちばん端に、僕の席もあった。在校生の中で一人だけそこに座っていると、なんだか自分がうんと偉くなった気がして、緊張よりも誇らしさで胸がいっぱいになった。

一カ月前の卒業式でも、在校生からの送辞は僕が読んだ。送辞の内容も、読み方も、先生からとてもよかったと褒《ほ》められた。児童会の任期は五年生の十月から六年生の九月まで。入学式のあいさつは、児童会長の最後の大きな仕事だった。何度も何度も書き直して原稿を仕上げ、「みなさん、入学おめでとうございます」から「今日から僕たちといっしょに、勉強に、スポーツに、遊びに、明るく楽しくがんばっていきましょう」まで繰り返し練習を積んできた。

完璧《かんぺき》なあいさつになるはずだった。保護者席には、母と、会社を休んだ父も座っていた。家族のアイドルの入学と、自慢の息子の晴れ舞台。両親にとっても最高の一日になるはずだったのだ。

講堂に新入生が入場した。在校生の席に座る五年生と六年生が拍手で迎える。

声が聞こえた。女の子の歌声だった。拍手の音に負けまいとしているのか、ちょっと気取った入場行進が楽しくてしかたないのか、女の子は――まゆみは、元気いっぱいに歌っている。

僕は椅子に座ったまま、身を縮めた。顔から血の気がひいていく、というのが生まれて初めてわかった。

保護者席がざわめきはじめた。在校生の中には、腰を浮かせて歌の主を探す連中もいた。もっとも、そのときにはまだ、会場ぜんたいが苦笑いでまゆみの歌を受け容《い》れてくれていた。

式が始まった。おごそかな雰囲気に包み込まれて、まゆみの歌声も止《や》んだ。だが、何人もつづいた来賓祝辞の終わり頃になると、しんと静まっていた新入生の席から、また歌声が聞こえてきた。本気で歌っているのではなく、退屈を持て余してつい鼻歌が出てしまったという感じだったが、まわりが静かなぶん、声はびっくりするほどよく響いた。

演壇《えんだん》に立っていた教育長の顔が、最初は怪訝そうにこわばり、やがて見るからにむっとした顔になった。保護者席は今度はざわめかない。無言で、非常識な新入生に眉《まゆ》をひそめる。一年生はぜんぶで三クラス。百人以上の新入生の中で、歌っているのは、もちろんまゆみ一人きりだった。

祝辞と祝辞の間に、女の先生が困惑しながら新入生の席に向かった。僕が三年生と四年生のときのクラス担任だった早川先生——家庭訪問や保護者面談でいつも「幸司くんの将来が楽しみです」と言ってくれていた早川先生は、まゆみのクラス担任でもあった。

先生はまゆみに近づいて、小声でなにか言った。「はーい」と、まゆみの屈託のない返事に、保護者席や在校生席だけでなく、新入生の席からも忍び笑いが漏れる。

教員席に戻るとき、先生はちらりと僕を見た。あの子、あなたの妹よね？　と半信半疑で尋ねるような表情だった。

それからしばらくの間はまゆみは静かにしていたが、来賓祝辞がすべて終わり、祝電披露が始まると、また声が聞こえてきた。あの頃ヒットしていたフィンガー5の『恋のダイヤル6700』の「あなたが好き、死ぬほど好き、この愛受け止めてほしいよ」——いっとうお気に入りだったフレーズを、まゆみはシナをつくったしぐさと声色で口ずさんだ。

行儀良く座っていた新入生や在校生の肩がぐらぐら揺れた。みんな笑いをこらえて、なかには我慢できずにプッと噴き出してしまう子もいて、それでまた、みんなの肩が揺れてしまう。

『在校生からのあいさつ』の番になった。司会をつとめる教頭先生に「在校生代表、六年一組、大野幸司くん」と名前を呼ばれて、演壇に上った。返事も歩き方も、リハーサルのときよりずっとぎごちなかった。まゆみのせいだ。完璧に覚え込んでいたはずの原稿も、演壇から新入生の席を見て、まゆみと目が合って、やっほー、おにいちゃーん、と手を振られると、頭の中が真っ白になってしまった。言葉が出てこない。あいさつの前に来賓席に一礼するのも忘れた。しかたなく原稿用紙を広げようとしたら、指先がこわばってしまったせいで、三枚ある原稿用紙はばらばらに床に落ちてしまった。

さんざんだった。声がかすれ、震え、裏返って、早口になったと気づいても、テンポを途中で変えることすらできなかった。クラス担任の藤森先生や児童会の徳光先生は「よう読めとったよ」とあとで褒めてくれたが、自分で思い描いていた出来映えの半分にも満たなかったのは、僕自身が誰よりもわかっていた。

泣きたいような気持ちであいさつを終え、新入生に向かっておじぎをすると、まゆみとまた目が合った。僕のあいさつの間は、まゆみは歌わなかった。じっと黙ってあいさつを聞いて、真っ先に、いちばん大きな拍手をしてくれた。

入学式が終わって家に帰ると、母はまゆみを椅子に座らせて、「小学校は幼稚園とは違うけんね、勉強のときに歌うたらいけんのよ」と教えさとすように言った。

僕はふてくされて、家に帰ってもおやつも食べずに自分の部屋に閉じこもっていた。

母の口調が気に入らない。もっと強く、叱《しか》るときの声で言えばいいのに。いままで甘やかしすぎたから、あんなことになったんだ。

「いやぁ、それでも、ああいう場所で歌えるいうんは、まゆみは大物なんかもしれんのう」

父まで、そんなことを言う。ごはんのときに「いただきます」と「ごちそうさま」を言い忘れたら、すぐにおっかない顔でにらむくせに、もっと大切な入学式での失敗を、ちっとも怒らない。それが不思議で、悔しくてしかたなかった。

まゆみは、「はーい」と明るく返事をした。しょげた声ではなかったし、自分がよくないことをしたんだと反省しているふうにも聞こえなかった。

そして、お説教にも至らない母の話が終わると、真新しいランドセルを開け閉めしながら、さっそく歌いはじめるのだった。

3

伯父と伯母は、十一時過ぎにタクシーを呼んで病院からひきあげた。母の血圧や心拍数は夕方の危険な状態を脱し、いまはとりあえず安定している。意識は戻っていないが、酸素テントも取り外され、万が一に備えて待機していた主治医も休憩室で仮眠をとると言っていた。

ベッドの横の椅子に座って母の寝顔をぼんやり見つめていたら、伯母夫婦を通用口まで送っていったまゆみが戻ってきた。

「外、けっこう冷え込んできとるよ」

肩をすくめて身震いしながら言う。

「霜でも降りるかな……」

「それはまだだいじょうぶやと思うけど、でも、明日も寒いやろうね」

「おふくろ、寒がりだったよな」

「冷え性やったけんね」

「親父が倒れたのも雪の日だっただろ」

「うそ、夏やったよ」

「最初のときだよ」

父は五年前の雪の日に脳梗塞《のうこうそく》で倒れた。一命はとりとめたものの右半身が動かなくなり、それでいっぺんに老《ふ》け込んでしまった。翌年の夏、蒸し暑い夜にまた倒れた。今度は脳溢血《のういっけつ》で、そのまま逝《い》った。一度倒れているぶんこちらにもある程度の覚悟はできていたが、それでも、悲しむ前に呆然《ぼうぜん》としてしまったあっけない死だった。

まゆみは壁に立てかけてあった折り畳み椅子を持ってきて、僕の隣に座った。

「おとうちゃんには、ほんま、親不孝ばっかりやったなあ……」

ぽつりと、ため息交じりに言う。

「最悪だったもんな、あの頃」――「最悪」という言葉でくる余裕すら、あの頃にはなかった。

父が最初に倒れた頃、まゆみはふるさとの街から新幹線で二駅の、県庁のある街に住んでいた。男がいた。僕よりも年上のその男は、妻と子どものいる我が家には帰らず、まゆみと同棲《どうせい》していたのだった。

一度だけ写真で見たことがある。まゆみの会社の上司だった。まじめそうな男で、いかにも気の弱そうな男でもあった。まゆみと将来のことをどう約束していたのかは知らない。ただ、向こうの奥さんに夫と離婚する気はなく、二人を許すつもりも当然なかった。会社に乗り込まれたり、マンションの近くで待ち伏せされたり、泣かれたり脅されたりの修羅場になったすえ、どこでどうやって調べたのか、奥さんはなにも知らない両親のもとへも電話を入れた。

魔性の女——と、女性週刊誌の煽《あお》り文句のようなことを言われた。まじめだった夫を引きずり込んだ女。幸せだった家庭をぼろぼろにして、平気な顔をしている女。父と母がどう言い返したのかは知らない。ただ、「絶対にそんなことはない」とは言わなかったんじゃないか、という気がする。まゆみは二十代にも一度、年上の男性と不倫騒ぎを起こしていたから。

父が倒れたのは、精神的に追い詰められた奥さんが自殺を図って病院に運ばれた、その数日後のことだった。倒れた直後は、僕の仕事がとんでもなく忙しい時期だった。一命はとりとめたこともあってすぐには帰郷できず、父が退院してから、ようやく時間をつくって奈津子と亮介を連れて見舞った。

パジャマ姿で居間の座椅子に座る父を一目見たとき、ああ、もう長くないな、と感じた。こけた頬に白い無精髭《ぶしようひげ》が生え、右半身の麻痺《まひ》とも関係あるのだろうか、目もひどく落ちくぼんで、母に体を支えてもらわなければ体を起こすことすら満足にできない。なにより言葉だ。口や顎《あご》がうまく動かず、しゃべっていることがほとんどわからない。それ以前に、言葉そのものも出てこないようで、口をしばらくひくつかせたすえに、自由に動く左手で座椅子の肘掛《ひじか》けをいらだたしげに叩《たた》くことも多かった。

酒の好きなひとだった。煙草《たばこ》もたくさん吸っていた。僕は「もう酒も煙草もだめだからね」と少し強く言った。「少しは健康に気をつけて、早くリハビリして歩けるようにならないと、ほんとに寝たきりになっちゃったら困るだろ」――僕は、まゆみの一件をなにも知らされていなかったのだ。

二泊する予定だったが、シモの世話も母に頼りきりの父の様子を見て、一泊で東京に戻ることにした。

「親父《おやじ》のあんな姿、亮介に見せたくないんだ」僕は母に言った。「紙おむつをつけてる姿なんて、親父だって見られたくないと思う」

母はちょっと不服そうに言い返した。

「でも、おとうちゃん、幸ちゃんらが帰ってくるんを楽しみにしとったんよ」

「楽しみにしてるって、そんなの、ろくにしゃべれないのに、わかるわけないだろ。おふくろが勝手に決めるなよ」

父にだってプライドがあるはずだ。僕なら、こんな姿、たとえ家族にも――家族だからこそよけい、絶対に見せたくはない。

「リハビリすれば、トイレぐらいは自分でできるようになるんだろ？　その頃に、また亮介を連れてくるよ。いまの状態じゃ、たんに死ななかったっていうだけで、親父だって恥ずかしいと思うんだ。亮介にも、おじいちゃんの元気な頃のイメージってあるんだから、それをあんなふうに崩しちゃうと、やっぱりまずいよ」

「……そういうもんかなあ」

母は自信なさげに首をかしげた。難しいことを考えるのが苦手なひとだ。「おかあちゃんにはようわからんけん」というのが口癖で、その口癖はいつも「幸ちゃんのええようにすればええよ」と締めくくられる。

「そういうものなんだよ。親父のプライドのこともちょっとは考えてやらなきゃ。明日の朝、帰るよ。絶対にそのほうがいいんだから」

「まあ……おかあちゃんにはようわからんけん、幸ちゃんのええようにすればええよ」

「リハビリ、大変だと思うけど、甘やかさないでよ。昔と同じように戻るのは無理だと思うけど、せめて身の回りのことぐらいは自分でできるようにしとかないと。このまま寝たきりになったら、ほんとに困るんだから。おふくろがしっかりリハビリやらせないと」

「……おかあちゃんにできるじゃろうか、そげな難しいこと」

「やらなきゃしょうがないだろ。おふくろがやらなきゃ誰がやるんだよ」

ぐずぐずと弱音を吐く母にいらだって、そのいらだちが、まゆみのことに行き当たった。

「まゆみ、たまには看病に帰ってるの？」

母はうつむいて首を横に振りながら、「あの子も忙しいけんね……」と言った。

「なに言ってんだよ。ウチと違って、あいつは近いんだから、わがまま言わせないでよ。おふくろが一人で無理して倒れたら、ほんとに困るだろ。ちょっとあいつに電話するよ、電話番号教えて」

そうだ――僕は、まゆみの家の電話番号すら知らなかったのだ。

母は困惑して顔を上げ、まゆみのトラブルのことを初めて僕に打ち明けた。

すでに、すべては終わっていた。夫は家庭に戻り、会社に辞表を出してどこかへ引っ越してしまったのだという。まゆみも会社を辞めた。その会社に勤めたのは結局一年たらずで、男をつくって別れるために就職したようなものだった。

母は、向こうの奥さんが自殺を図る前、真夜中に何十回も無言電話があったことも教えてくれた。警察に相談しようかと話していた矢先に、奥さんが手首を剃刀《かみそり》で切って病院に運ばれたのだ。

脳梗塞が起きる要因の一つにストレスがあることぐらい、素人《しろうと》の僕だって知っている。もしもまゆみが目の前にいたら、すぐに怒鳴りつけて、頬を一発か二発張り飛ばしたかった。

だが、母は沈んだ声で「あの子も運の悪いところがあるけんなあ……」と言うだけで、まゆみを責めたり愚痴ったりはしなかった。

「親父はなんて言ってた？　怒ってただろ？」

「……おとうちゃんが倒れたあと、まゆみはすぐに来てくれたんよ。それでも、おとうちゃん、目をそらしてしもうて、口をきかんの。ああ、怒っとるんやなあ、って。そやけん、まゆみが手伝いに帰ってきてくれても、おとうちゃんは喜ばんし、あの子もかわいそうやし……」

甘やかしすぎている。母を見るたびに、子どもの頃からずっと、思う。

「なんで教えてくれなかったんだよ、そんな大事なこと」

「……幸ちゃんに心配かけたらいかんやろ。仕事も忙しいんやし、東京は遠いんやし」

「だって、妹のことだろ。兄貴がなにも知らなくてどうするんだよ」

「そうやね、おかあちゃん、いけんかったかなあ……」

「だって、考えてみろよ。もしも向こうのカミさんが俺のほうにまで電話してきたら、どうなってると思うんだよ。僕は東京なのでなにも知りませんでしたじゃ通らないだろ。ちょっとはこっちのことも考えてくれよ」

　母は「ごめんなあ、ごめんなあ」と謝った。小さな体をいっそう縮めて、頭を下げた。僕に連絡をしなかったことよりも、僕を怒らせてしまったことを詫《わ》びている。母はいつもそうだ。大事なことがなにもわかっていないまま、目先のことをとりあえずやり過ごそうとする。

　いらだちの向く先は、また母に戻った。

「まゆみは……あいつ、おかしいんだよ、世の中とちゃんとやっていけないんだ。わかるだろ？　仕事はぜんぜん長続きしないし、ろくな男と付き合わないし、将来なにがやりたいのか、自分になにができるのか、あいつ、なんにも考えてないじゃないか。もう三十なんだぞ、他の友だちなんか、みんなちゃんと結婚して、子どもも育てて、まっとうにやってるんだよ。なんであいつだけそれができないかわかる？　おふくろが甘やかしてるからなんだよ。子どもの頃からずっとそうだろ？」

一息にまくしたてる僕に、母はなにも言い返さなかった。

「とにかく、明日の朝イチで帰るから。で、親父が紙おむつをつけてるうちは、顔を出さないから。親父に言っといて。僕らに会いたいんだったら、がんばってリハビリして、早く元気になれ、って。そうしないと、亮介に会えても抱っこもできないだろ。それを励《はげ》みにしてがんばらせてよ」

母はうつむいたまま、黙り込んでいた。これ以上しゃべっていると怒鳴り声になってしまいそうだったので、僕はいらだちを腹に残したまま、奈津子と亮介の眠る二階の和室にひきあげた。

布団《ふとん》に入っても、なかなか寝つかれなかった。腹が立ってしかたなかったのが半分、残り半分は、さすがに言い方がキツすぎて母がすねてしまっただろうか、と気になっていた。

しばらくすると、階下からがたがたと物音が聞こえた。怪訝《けげん》に思って階段を下りると、母は台所にいた。流し台の下から漬け物の桶《おけ》を取り出して、白菜の浅漬けを切っているところだった。

「どうしたの？」

母は包丁を動かす手を止めて僕を振り向き、「明日帰るんじゃったら、朝ごはん、白菜のお漬け物を出してあげよう思うて」と笑った。

白菜の浅漬けは、僕の好物だった。

「……そんなの、明日の朝でいいだろ。うるさくて眠れないよ」

「ああ、ごめんごめん、すぐ終わるけん」

「漬け物なんてどうでもいいんだよ、そんなの」

吐き捨てて二階に上がる僕に、母はのんきな声で「亮ちゃんのお漬け物は、唐辛子を抜いとくけんね」と言った。

母は、そういうひとだった。

そして、僕は――いまになって、優しくない息子だったよな、と思う。

「親父とは、けっきょく仲直りできたのか」

まゆみを振り向いて訊《き》いた。

「どうやろね……」

まゆみは母の左の手のひらを掛け布団から出してさすりながら、苦笑交じりに首をかしげた。

「最後のほうは、まあ、ふつうにしゃべっとったけど……許してくれとらんかったんかもしれんね」

「世間の常識とか道徳とか、そういうのに厳しいところがあったもんな、親父って」

「おにいちゃんとよう似とるよね」

「……かもな」

「で、うちはおかあちゃん似」

まゆみは嬉《うれ》しそうに言って、「なあ？　おかあちゃん」と母の手のひらを両手で包み込んだ。

「どうする？　家に帰るんだったら、俺がここに泊まるけど」

「おにいちゃん、ホテルとってないん？」

「うん、もっとヤバい状態だと思ってたからな。おじさんの電話だと、ほんと、あと一時間とか二時間っていう感じだったから」

「でも、おかあちゃんの手、まだ温かいもん。ぜんぜんだいじょうぶなん違う？　ええよ、おかあちゃんはうちが看《み》るけん、おにいちゃんホテルに泊まれば？　家は火の気がないけん寒いと思うよ」

「……今夜は俺が泊まるよ」

「最後の親孝行？」

「そんなんじゃないけどさ」

「でも、うちもおかあちゃんと一緒におってあげたいけん、二人で泊まればええやん」

「うん……」

「それに」くすっと笑う。「おにいちゃんと二人きりやったら、おかあちゃん、またおにいちゃんに叱《しか》られるんじゃないかって怖がるかもしれんもん」

人工呼吸器のシューシューという規則的な音を数えて、言葉のトゲをいなした。

まゆみは椅子《いす》を持ってベッドの反対側にまわり、今度は右の手のひらをさすりながら、つづけた。

「おにいちゃん、亮ちゃんのこと叱っとるん？　学校に行け、学校に行け、いうて」

「そんなこと言うわけないだろ」――親父とは違うんだから、と付け加えてもよかった。

「でも、学校に行かんと、あとで自分が困るんじゃから、とか言うとるでしょ」

それは、当たり、だった。黙っていたら、まゆみはまた、くすっと笑った。

「おとうちゃんが最初に倒れたとき、おにいちゃん、寝たきりになったら困るけん困るけん、っておかあちゃんに何べんも言うたんやてね。おかあちゃん、あとで笑《わろ》うとったんよ」

幸ちゃんが「困る、困る」と言うときは、自分が困るけん、そげん言うんよね——。

おかしそうに笑いながら、母はまゆみに話した、という。

僕はまた人工呼吸器の音を数える。時計の秒針よりも少し遅いリズムだった。

二十まで数えたとき、まゆみは言った。

「亮ちゃんのときも、それと同じなん違う？」

もう一度、最初から数え直す。

まゆみは「よけいなこと言うてごめんね」と言って、話はそれで終わった。

百七十まで数えたとき、日付が変わった。まゆみは座る位置を母の足元に移して、足の甲をゆっくりゆっくりさすっていた。

4

まゆみは入学式で失敗したあとも、歌をうたうのをやめられなかった。本人が「失敗した」とは思っていないのだから、どうしようもない。授業中、早川先生が話すときには、さすがに黙っている。それでも、先生が「はい、じゃあみんなもやってみて」と書き取りをさせたり数をかぞえさせたりすると、つい鼻歌が出てしまう。

楽しいのだ。幼稚園の頃から、僕が家で宿題をしているのを見ては、「まゆみも、おべんきょうしたい、おべんきょうしたい」とせがんでいた。二月にランドセルを買ってもらうと、それを幼稚園にも背負って行くんだと言ってきかなかった。小学校に入るのを、ずっと楽しみにしていたのだ。ランドセルを背負って学校に通い、教室で勉強をするのが、楽しくて、嬉しくて、誇らしくてしかたなかったのだ。だから――歌う。国語のノートに「山」や「川」の漢字を大きな字で書きながら、歌う。算数の教科書の、電線にとまった小鳥の数をかぞえながら、ハミングする。

最初のうちは、早川先生は苦笑交じりに「勉強しとるときは歌うたらいけんのよ」と注意するだけだった。まゆみも、注意されたときには「はーい」と素直に応《こた》える。それでも、しばらくすると、唇からこぼれ落ちるように歌が出てしまう。「大野さん、歌うとるよ」と先生が声をかけると、はっとした顔になって口をつぐむから、本人も意識しないうちに歌ってしまっているんじゃないか――と、先生は五月の家庭訪問のときに母に言った。

母は申し訳なさそうに先生に謝った。だが、先生が帰ったあとで「どうやった？先生、なんか言うとった？」と訊いてくるまゆみには、歌のことは一言も言わなかった。

「まゆみちゃんはいつも元気で明るくて、とってもいい子です、って言うとりんさったよ」

どきどきしていたまゆみは、やったぁ、とバンザイをした。

「なあなあ、うちとおにいちゃん、どっちがいい子やて言うとった？」

「うーんとなあ、勉強はおにいちゃんのほうができるけど、まゆみちゃんのほうが楽しそうに毎日学校に通うとります、やて」

やったぁ、やったぁ、とはずんだ声が、僕の部屋にも聞こえてくる。

どうして――？

それがずっとわからなかった。いまでもわからない。あの段階で母がもっと厳しく叱っていれば、もしかしたら……と思う。母はやはり、まゆみを甘やかしすぎていたのだ。

五月の終わり頃、まゆみの歌がうるさい、という声が同級生からあがるようになった。どうなってるんだ、と親から学校に電話が入る。どうにかしてくれ、と早川先生に抗議する親もいた。

児童会の仕事で職員室を訪ねた僕が、先生に「大野くん」と呼び止められたのは、ちょうどその頃だった。

先生は僕を会議室に連れていき、「妹さんのことなんだけど」と話を切り出した。

「まゆみちゃんって……幼稚園の頃、団体行動が苦手だったりしたん？　みんなと一緒になにかをやるのが馴染《なじ》めないっていうか、そういう子やった？」

僕は黙って首を横に振った。まゆみは、おゆうぎが大好きだった。近所にも仲良しの友だちが何人もいるし、一人ぼっちで遊んでいる子を見るとおせっかいをやいて仲間に入れてやろうとする子だった。そういうことを順序立てて話したかったのに、胸がつっかえて、急に息苦しくなって、なにも言えなかった。

「だったらねえ……」

先生は言葉を探すように少し間をおいて、「なにかをするときに落ち着きがないとか、じっとしていられないとか、そういうことはあった？」と訊いた。

僕はまた黙って首を横に振る。まゆみは雑誌の付録を組み立てるのが好きだ。母が手伝おうかと言っても一人でがんばるからと断って、ゆっくり、じっくり、時間をかけてつくっていく。ジグソーパズルも得意だ。せっかちな僕ならばらばらにしたピースを見るだけでうんざりしてしまうパズルも、根気強く仕上げていく。いつだって、歌を口ずさみながら——なのだが。

先生は腕組みをして、ため息をついた。困ったなあ、という顔をしていた。先生は、僕がまゆみをかばって嘘《うそ》をついていると思っているのかもしれない。顔がカッと赤くなって、息がもっと苦しくなった。

早川先生は、僕のことをとても気に入ってくれていた。「大野くんはまじめだから、将来は立派なおとなになります」と、道徳の時間だったか学級会のときだったか、みんなの前で言ってくれたこともある。先生は、まじめな子が好きだった。授業中の私語や、給食を食べているときのおしゃべりが嫌いだった。席についているときも「ほら、背筋を伸ばさんと」「頬づえをついたらいけんよ」「シャツの裾《すそ》が背中から出とるよ」と小言ばかり言っていた。二年間で一度も注意されなかった男子は僕だけだった、と思う。

「ねえ、大野くん」

「……はい」

「まゆみちゃんて、家でも歌が好きなん?」

うなずきかけたとき、背筋がこわばった。先生はまゆみのことを病気だと思っているのかもしれない。答えない僕に先生は少しいらだったように、「家でも、ごはんのときやみんなでテレビ観《み》とるときに歌うたりするん?」と重ねて訊いてきた。「歌うたらいけんときにも、まゆみちゃん、歌うん？」

考えるより先に、たたみかける先生の勢いに気《け》おされて、首を横に振った。嘘をついた。先生の前で嘘をついたのは初めてだった。

まゆみは晩ごはんがカレーライスのときには、必ず自分でつくった『カレーの歌』を歌いながら食べる。じゃーがいもさん、にーんじんさん、たーまねぎさん、おーにくさん、ぱっくん、ぱっくん、ぱっくん、ぱっくん……そんな歌が、まゆみにはたくさんある。

「家では歌うたりせんのやね？　それ、ほんまやね？」

先生は念を押して訊いた。さっきより、もっとおっかない声だった。

「ほんまです」――うつむいて、僕は言った。

先生は腕をきつく組み直して、ふうん、そうなん、と窓のほうを見てうなずいた。しばらく沈黙がつづいた。実際にはほんのわずかの間だったのかもしれないが、そのときの僕には、それが果てしもなく長く深い静けさのように感じられた。

先生は腕組みを解いて、僕を振り向いた。いつもの笑顔に戻っていた。

「わかった。ありがとうね。もう行ってええよ」

黙って会釈《えしやく》して立ち去ろうとしたら、「ああ、そうだ」と先生は言った。「いまの話、おかあさんやまゆみちゃんには内緒にしといてね。先生のお願いやけん、聞いてくれるよね、大野くん」

言うつもりなんて最初からなかった。できれば、もう、思いだしたくもないことだった。

まゆみは歌いつづけた。早川先生はそのたびに「大野さん」とたしなめ、まゆみは素直に謝って、でもすぐに鼻歌のメロディーが教室に流れてしまう。

反抗していたわけではない。先生を馬鹿《ばか》にしていたのとも違う。

「うち、いつも先生に注意されるんよぉ……」

悲しそうに言っていた。「女子で注意されるん、うちだけなんよ」とも。

授業中に歌ってはいけない。理屈ではわかっていても、ちょっと気を抜くと、つい歌ってしまう。ご機嫌だったり調子がよかったりするときにかぎってそうなるのだから、始末が悪い。

六月の初めの授業参観のときも、まゆみは歌った。教室の後ろに並んだ親たちは、一瞬、なにが起こったのか信じられない顔になり、先生の顔色が、さあっと変わった。

「おかあちゃんもびっくりしたんよ」

その日の夕食のとき、母は言った。笑いながら、だった。

「今度からは歌わんように気をつけんといけんね」

まゆみに言う声は、なんだかまるで二人で仕掛けたいたずらを見つかって、ぺろりと舌を出す子どもみたいだった。

母はまゆみを叱らない。

「楽しいから歌うんやったらええよ。悲しいときに歌うんやったらいけんけどね」

そういう問題じゃない、と小学六年生の子どもにもわかることなのに。

授業参観の日を境に、ときどき同級生の親から家に電話がかかってくるようになった。まゆみの鼻歌が気になって、ウチの子が勉強ができずに困っている。みんなが迷惑している。親はいったいなにをしつけていたんだ、とはっきり言い放つひともいたらしい。

その頃には、さすがに父は、このままではいけないと考えはじめていた。夕食のときにまゆみが『サラダの歌』や『おさかなの歌』を歌うと、怖い顔で「うるさいけん、歌うたらいけん」とにらむようになった。風呂《ふろ》の中で歌謡曲を歌うまゆみの声が居間に聞こえてくると、不機嫌そうに舌打ちすることもあった。

それでも、母は叱らない。「ちょっとずつ気をつけていこうね」と言うのがせいぜいで、夕食の献立がカレーライスの日には、「ほら、まゆみ、『カレーの歌』は？」とうながすことさえあったのだ。

なぜ――？　ほんとうに、わからない。

母はのんきではあったが、だらしない性格ではなかった。子どものしつけをはなから放棄するようないいかげんなひとでもない。放っておけばそのうち歌わなくなる、と思っていたのだろうか。授業中に歌を口ずさむぐらいたいしたことではない、と思っていたのだろうか。僕の母は、そんなにも愚かなひとだったのか――？


六月の終わりのある日、早川先生は、『朝の会』が始まる前に、まゆみを先生の席に呼んだ。

「今日から、授業中はこれをつけなさい」

手渡されたのは、給食当番が使うガーゼのマスクだった。

まゆみは先生に逆らわなかった。本人もこのままではいけないと思っていたのだろう、素直にマスクをつけて口を覆《おお》った。

教室にいたみんながそれを見て笑うと、先生は教壇《きょうだん》に立って、険しい顔で教室を見渡した。

「大野さんを笑《わろ》うたらいけんよ。大野さんは今日から歌をうたわんように、一所懸命がんばるんやけん、みんなも応援してあげんといけんのよ。同じクラスの仲間なんやからね」

クラスのリーダー格の女子が、さっそく「まゆみちゃん、がんばってね」と言った。他の子も口々に「すぐに治るけん」「だいじょうぶじゃけん」「うちらも応援するよ」とまゆみを励ました。

マスクをつけさせられたことよりも、みんなに励まされたことのほうがつらかった――ずっとあとになって、まゆみは言った。

まゆみは授業中ずっとマスクをつけたままで過ごした。休み時間と給食のときははずすのを許されたが、いつもの鼻歌は出てこなかった。先生は昼休みにまゆみを呼んで「ほらね、だんだん良うなってきとるんよ」と喜び、まゆみもほっとした、という。

午後の授業も、マスクをつけて受けた。途中で鼻の下がむずむずしてきたが、マスクをはずすと先生に叱《しか》られると思って我慢した。むずがゆさはしだいに口のまわりや顎《あご》のほうにも広がってきた。『終わりの会』のあと、やっと先生から「ようがんばったね」と言われてマスクをはずしたら、まわりの友だちが、うわっ、と驚いた顔であとずさった。

まゆみの顔の下半分——マスクで覆われていた部分が、真っ赤に腫《は》れあがっていた。

5

「おにいちゃん」

その声で、目が覚めた。眠ったつもりはなかったが、人工呼吸器の規則的な音に引き込まれるように、うたた寝をしていたのだろう。

「おにいちゃん……起きとる？」

部屋は暗い。人工呼吸器のパイロットランプの青い光が、かすかに母の布団《ふとん》を照らし出している。

「どうした？」と僕は聞き返した。

「起こしちゃった？」

「いや……だいじょうぶだけど」

まゆみの声が、どこから聞こえてくるのかわからなかった。母のベッドを隔てているような気もするし、背後の壁のほうからのようにも思うし、すぐ隣に座っているような気もしないではない。

「亮ちゃんのこと、嫌じゃなかったら、うちにも教えてくれん？」

「……たいしたことじゃないよ」

「最近のことなん？　中学に入ってから、そうなったん？」

まゆみはどこにいるのだろう。闇《やみ》に目が慣れてからもわからない。まだ耳は眠っているのだろうか。まゆみの声は天井から降りそそいでいるようにも、足元の床から這《は》い上ってくるようにも聞こえるのだ。

「二学期になってから、なんだ」

「原因って知っとるん？　いじめ？」

「それも多少はあったみたいなんだけどな……」

クラスの友だちとしっくりいってないみたいだ、というのは九月頃に奈津子から聞かされていた。だが、それだけではない。というより、嫌われるのを承知で同級生と距離をおいたのは、亮介自身のほうだった。

「頭がくらくらする、って言うんだ」

「亮ちゃんが？」

「そう。最初のうちは教室で座ってるとそうなって、いまは家にいても、学校のことを考えるだけでだめなんだ、って」

「なんで？」

「……疲れたんだと思う」

　入学したのは中高一貫、希望すれば大学までエスカレータ式に進める学校だった。受験の世界では「超難関」と呼ばれるレベルの学校で、亮介も小学四年生の夏から受験勉強を始めて合格したのだった。

「すごいなあ」

　まゆみは言った。感心しているのかあきれているのかよくわからない声の響きだった。

「最後の最後までボーダーラインだったんだ。模試の成績が出るたびに喜んだり落ち込んだりして、本人も大変だったと思うけど、親もキツかったな」

「でも、本番で受かれば、受かった者勝ちちゃん」

「まあな……」

　受験の直前——冬休みの模試は、成績があまりよくなかった。合格の可能性は四〇パーセント。受験日がかち合う、もうちょっとレベルの低い中学を第一志望に変更しようか、とも話していた。

　だからこそ、合格したときには嬉《うれ》しかった。亮介もほんとうに大喜びしていた。

いや、合格発表や入学式のときより、学校指定のテーラーで制服を仕立てたときのほうが喜びは深かった。店員さんに採寸してもらう亮介を眺めながら、もうここまで大きくなったんだなあという感慨と、ウチの息子はがんばって夢をかなえたんだという誇らしさに包まれて、僕の目には涙さえ浮かんでいたのだった。

「いい学校に受かったっていうことじゃないんだ」僕は、僕自身に言い聞かせる。「あいつが一所懸命がんばって自分の夢をかなえたことが嬉しかったんだ」

まゆみの返事はなかったが、かまわず、僕はつづける。「張り切ってたんだぜ」

――わざと、軽い、くだけた言葉づかいを選んだ。

「あいつ、ほんと、張り切って学校に通ってたんだ」

覚悟していたとおり、勉強の進み方は驚くほど速く、同級生は皆、驚くほど勉強がよくできた。おそらくびりっけつのほうで合格したはずの亮介は、みんなについていくのが精一杯だった。

一学期の中間試験も期末試験も、成績はよくなかった。それでも亮介はくさらず、夏休みにもこつこつ勉強をつづけた。その甲斐《かい》あって、夏休み明けの英語の小テストではクラスで五番目の成績をとった。

やれば、できる。努力すれば必ずむくわれる。言い古された言葉の持つ重みを僕はひさしぶりに実感したし、亮介も手ごたえを感じたはずだった。

なのに、小テストの成績を持ち帰った翌朝、亮介は頭痛がすると言いだした。頭の後ろがずきずきして、ベッドから立ち上がるとめまいがする、という。

その日は頭痛薬を服《の》んで登校して、放課後までふつうどおりに過ごした。家に帰ってからも、べつだん体の調子の悪そうな様子はなかった。だが、翌朝になると、また「頭が痛い」と言いだした。前日と同じ頭痛薬を服んで学校に行き、前日と同じように学校でも家でもふつうどおりに過ごして……次の日の朝は、また、頭痛を訴える……。

さすがに心配になって病院に連れていった。近所の病院で異状なしと言われても、念のために大学病院にも連れていき、ＭＲＩの検査を受け、脳波も調べてもらった。

「けっきょく、悪いところはなにも見つからなかったんだけど、やっぱり頭痛は治らないんだ」

「朝だけなん？」

「うん……学校に着くと頭がすうっと楽になるって言ってたんだけど……」

九月の終わり。授業中に、亮介は突然嘔吐《おうと》した。トイレに駆け込む間もなく、教室の床に吐いてしまった。

「そんなのが何日もつづいたんだ」

「何日も？」

「そう……毎日毎日、教室でゲロを吐いちゃうんだ。ひでえよなあ、まわりの子も、いい迷惑だったと思うぜ」

無理に笑いながら言ったが、頬はうまくゆるまず、声も沈んだままで、まゆみの返事もなかった。

「最初はストレスだと思ってた。学校の勉強についていくのに息切れしちゃったんだと思ってたんだ」

「おにいちゃん、怒らんかったん？」

「なにが？」

「ストレスなんかに負けるのは情けないとか、それでも男の子かとか、そういうこと言うて怒ったん違うん？」

僕は黙って、まゆみに見えるかどうかはわからなかったが、苦笑交じりにかぶりを振った。本音の本音は、まゆみの言ったとおりだ。だが、僕だってそこまで愚かな父親ではない。亮介を追い詰めるようなことはしなかった、つもりだ。

しばらく学校を休ませた。大学病院の先生に相談して、カウンセリングも受けさせた。原因は、それでも、わからなかった。

十月に入って、もうだいじょうぶだと本人が言うので、学校に行かせてみた。

「どうやった？　行けたん？」

話していいのかどうかわからない。

闇の中で、淡い青い光に照らされる母の体をじっと見つめた。五感の中で最後の最後まで——意識を失ってからも残っているのは、聴覚だという。だから臨終のときに耳元で声をかけるのはいいことなんだ、とも聞いたことがある。

僕たちの声は、母の耳にも届いているのだろうか。子どもの頃からなにをやらせてもうまくいっていた自慢の息子が、父親になって、自分でもどうしていいかわからない壁の前に立ちつくしている、その打ち明け話は、母にも聞こえているのだろうか。

ガンに内臓のほとんどを冒され、化学療法の副作用で激しい吐き気に苦しみつづけて、ようやく苦しみから解放されようとしている母に、僕はつらい話を聞かせているのだろうか。ものごころついてから、たぶん初めてだ。僕は母に弱音を吐いている。

母の寝顔は、見えない。思い浮かべる母の顔は、のんきに笑ってはいない。僕に叱られてばかりだった年老いてからの顔でもない。

まなじりをキッと上げてなにかをにらみつける強い顔——僕はそれを、ずっと昔に見たことがある。まゆみがそばにいた。歌えなくなり、歩けなくなったまゆみは、母に包み込まれるように肩を抱かれていた。母は『まゆみのマーチ』を歌っている。僕には聞こえない歌を、母はまゆみのために歌いつづけている。

「ねえ、おにいちゃん……亮ちゃん、どうなったん？」

まゆみは、ほんとうにどこにいるのだろう。体はぼんやりと、母のベッドの向こう側に見えている。でも、声はそこから聞こえてくるのではなく、もっと遠くから、いや、うんと近くから、ささやくように、こだまのように、僕の耳に流れ込む。

もしかしたら、僕と話しているのは、母なのかもしれない。母が、まゆみの声をつかって僕と話をしているのかもしれない。つまらない、子どもじみた想像でも、ほんの少しだけ、気が楽になる。

僕は母に言った。

「亮介……いつもどおり、七時過ぎに家を出たんだ。駅まで歩いて、電車に乗って、地下鉄に乗り換えて、八時半には学校に着いてるはずだったんだ」

家に電話がかかってきたのは、十時前だった。千葉県の、地下鉄と相互乗り入れしている私鉄の駅からだった。電話に出た奈津子に、駅員は「息子さんを保護していますす」と言った。

亮介は地下鉄に乗ったものの、学校のある駅では降りなかった。終点の駅で車掌が巡回してくるまでシートに座ったままだった。途方に暮れた顔をしていた、という。折り返し運転だから降りなさい、と車掌が声をかけると、泣きだしそうな声で、こう言った――「僕、どこで降りればいいんですか？」

「……どういうこと？」

「記憶喪失ってほど大げさなものじゃないんだけど」僕はなぜ、先に言い訳じみたことを口にするのだろう。「ぽっかり抜けちゃったみたいなんだよな、頭から」

もっとも、僕も奈津子も最初からそうわかっていたわけではなかった。やはり学校に行きたくなかったんだ、地下鉄を降りるふんぎりがつかなかったのを、叱られると思って、そんな嘘《うそ》でごまかしたんだ……。

「信じてあげなかったんやね」

「信じたくなかったんだ」

「ようわかるよ、それ」

「俺のこと？　亮介のこと？」

「どっちも」

「……また、しばらく学校を休ませたんだ。とにかくあいつが本気で学校に行きたがるまでは休ませてやろう、と思って」

「本気でって、ずっと本気だったん違う？」

「それはそうなんだけどな……」

僕自身の中学時代と重ねたのだった。僕だって学校に行きたくない日はあった。毎日毎日、さあ今日もがんばるぞ、と思って登校していたわけではなかった。布団から出るのが億劫《おっくう》で、トイレで用を足しながら何度もため息をつく朝だってあった。

「でも、おにいちゃん、皆勤賞やったやん」

「無理してたんだ」

「ほんま？」

「べつに皆勤賞が欲しかったわけじゃないんだけど、学校には毎日行くものだって決めつけてたんだよな、自分で」

まゆみは短く笑った。「おにいちゃん、おとうちゃんみたいなこと思うとったんやね」と言って、また笑う。ふつうにしゃべる声はそうでもないが、笑い声は、若い頃の母とよく似ている。

「それで、亮ちゃんには無理をさせたくない、って？」

「子どもが嫌がるのを無理やり学校に行かせるような親って、だめだろ？」

間違ってはいない、はずだった。そして、それが間違いではないことを誰よりも知っているのは、まゆみのはずだった。

だが、まゆみはなにも応《こた》えず、話のつづきを待った。

「四、五日したら、亮介が自分から、がんばって学校に行ってみるって言いだしたんだ」

「よかったやん」

「今度は……ウチの近所の駅から電話があったんだ、改札の前で、一時間以上ぼーっと立ってた、って」

上りと下り、どっちの電車に乗ればいいか、わからなかった。

それでも、僕はまだ信じなかった。信じたくなかった。信じるのが怖かったのだろう、と自分でも思う。

翌朝、今度は奈津子がそっとあとをつけることにした。亮介は「行ってきます」と言って、家を出る。ふだんどおりの声、ふだんどおりのしぐさ、ふだんどおりの後ろ姿……エレベータに乗り込んだのを確かめ、そのエレベータが一階に着いたのを確認すると、少しほっとして、タイミングを見計らって一階へ下りていった。

亮介は、まだ、いた。マンションの玄関を出てすぐのところで、ぽつんとたたずんでいた。

「マンションを出て、道を右に行くのか左に行くのか、わからなくなっちゃった、って」

僕はそう言って、ため息をついた。空気がかすかに揺れ、もっとかすかに震えていたのが、まゆみと母にも伝わってしまっただろうか。

「奈津子が言ってたんだ。玄関の外に立ってる亮介の背中……まるで老人みたいに見えた、って……」

バーンアウト――。

医師は言った。「燃え尽き症候群」という日本語の名前も教えてくれた。

「受験で燃え尽きちゃったんだよ、あいつ。一学期のうちは新しい環境に慣れるのに必死で、勉強のほうもみんなに遅れまいとしてがんばってたから、気が張っててよかったんだ。でも、九月の英語のテストでそこそこの成績をとって、もうだいじょうぶだって安心したら、急に、記憶だけじゃなくて、いろんなことがぽかーんと抜けちゃって……抜け殻になっちゃったんだよ、亮介は」

会社では誰にも話していない。プライベートで付き合う友人たちにも秘密にしてある。胸の奥にずっと隠してきて、ときにはその重みに耐えかねて真夜中に叫びだしそうにもなっていたのに、言葉は思っていたよりずっとなめらかに出た。自分でも意外なほど冷静でいられた。

「それで、いまは家から出られんようになったん?」——むしろ、まゆみの声のほうがショックを隠しきれない様子だった。

「物忘れは一時的なものだっていうんだ。記憶がなくなったわけじゃなくて、そこにアクセスするラインが断線しちゃったようなものだから……って医者は言ってた」

「亮ちゃんもわかっとるん? 自分が、ちょっとおかしいふうになっとる、って」

「わかってるよ、それは。だからおびえてるんだ。外の世界に出て、自分の行き先も、自分がいまどこにいるかもわからなくなっちゃって、なんていうか、真っ暗闇《くらやみ》の中に放り込まれるようなものだろ? そうなるのが怖くて、苦しくて、もう、いまは家から一歩も出られない。家の中にいるときも、奈津子がずっとそばにいて、見える場所にいてやらないとだめなんだ」

まゆみは、「そう……」と相槌《あいづち》を打って、それきり黙り込んだ。

僕も、もうなにも言わない。

あいつを追い詰めたつもりはないんだ、中学なんてどこでもよかったんだ、合格したときには大喜びしたけれど、たとえ落ちていてもちゃんと慰めて、励ましてやったはずだ、学校に入ってからだって、他人に負けるなとは一言も言ったおぼえはない、マイペースでいいんだ、おまえはおまえらしくやればいいんだ、と口癖のように言ってきたんだ……。

頭の中で、言い訳の言葉がぐるぐると巡る。どれも正しいはずなのに、すべてが間違っているように思えてくる。嘘をついているわけではないのに、すべてが、ひどく嘘くさかった。

母を見つめた。母は昏々《こんこん》と眠りつづける。なにも言ってくれない。最後まで、『まゆみのマーチ』を僕には聞かせてくれなかった。

「おかあちゃん？」

まゆみの声が、シャボン玉の膜をぷちんと割るように、響いた。

「おかあちゃん？　おかあちゃん？　……おかあちゃん！」

まゆみは椅子《いす》から立ち上がり、布団《ふとん》をめくって母の手をつかんだ。

「おかあちゃん！　おかあちゃん！」

金切り声になった。

僕は我に返って、壁のスイッチを点《つ》けた。部屋の照明が灯《とも》る。まぶしさに一瞬目がくらみ、たじろぎながらベッドを見ると、まゆみは布団を剝《は》ぎ取って、母の肩を揺り動かしていた。

「おにいちゃん！　看護師さん呼んで！」

ナースコールのボタンを押した。母の目の下にできていた黒い隈《くま》が、すうっと薄くなっていくのが、わかった。

6

電話はすぐにつながった。

「おふくろ、五時ちょっと過ぎだった」

奈津子はそれだけで察して、「お疲れさまでした」と、僕に対してなのか、母に手《た》向《む》けたのか、ていねいな言葉づかいで言った。

「最期《さいご》は眠ったまま、だった」

「そう……」

「俺とまゆみがそばにいてやれたから、よかったよ」

「意識はけっきょく戻らなかったの？」

「だめだったけど……まあ、しょうがないよな」

「もう家に帰ってるの？」

「さっき、おふくろは連れて帰ったんだけど、病院の支払いとか戸棚の中のものを片づけたりとかあるから、いま病院に来てるんだ」

海を見渡せる中庭のベンチに、僕はいる。明け方に冷え込んだぶん、空はきれいに晴れあがり、空の青と、それより少し濃い海の青が、くっきりと見分けられる。こんな天気の日に逝《い》くのなら、悪くないな、と思う。

「もっと早く電話してくれればよかったのに」

奈津子は不服そうに言った。だが、僕が「どっちにしても、無理だろ？」と訊《き》くと、くぐもった声で「それはそうだけど……」と返す。

「ゆうべ、まゆみに亮介のこと話したよ。べつに相談とか愚痴とかじゃないんだけど、葬式に顔を出さないのってやっぱり変だからな、親戚《しんせき》は適当にごまかすけど、あいつには教えとこうと思って」

「ほんとにいいの？」

「いいことはないけど、しょうがないだろ」

「でも、おばあちゃんが死んじゃったって教えてやれば、亮介だって、やっぱり……」

「やめとけよ。かえってかわいそうだ」

自分の言葉に、心の中で、そうだよな、と念を押した。

「外に出られるようになって、学校にも通えるようになってから、墓参りしてくれればいいんだから」

「お通夜《つや》って、今夜のうちにしちゃうの？」

「いや、今夜は仮通夜で、明日が本通夜。あさっての午前中に葬式と告別式だけど……ほんとにいいんだ、無理しなくて。こっちは俺がちゃんとやるからだいじょうぶだよ」

とにかく亮介におばあちゃんのこと話してみるから、と奈津子は最後に言った。あ、よろしく頼む——ほとんど期待を込めていない声になったのが、自分でもわかった。

電話を切って、あらためて空と海を眺めた。午前十時を回ったところだ。中庭の遊歩道には、看護婦に付き添われて外の空気を吸っている車椅子《くるまいす》の老人や、歩行のリハビリをする患者たちが何人かいた。

携帯電話はまずかったかもしれない。そそくさと電話をコートのポケットに入れて、立ち上がった。そろそろ紳士服の安売り店が開いているはずだ。喪服を取りに東京にとんぼ返りする時間と交通費を考えると、この街で安い喪服を買っておいたほうがいい。

門のほうに向かって歩きだしたとき、遊歩道を歩く子どもの姿が目に入った。右足をギプスで固定されて松葉杖《づえ》をついた女の子が、母親に肩を支えられるようにして、一歩ずつ、ゆっくりと、ぎごちなく、進んでいる。小学校の三、四年生ぐらいだろうか。本人が音《ね》をあげて、もう帰りたいと言うのを、母親はかがみ込んで目の高さを揃《そろ》えて、笑いながら励ましていた。

僕はまたベンチに腰を下ろした。まいったな、と空を仰いで苦笑する。母はやはり、息を引き取る前に僕の話を聞いていたのかもしれない。僕になにかを伝えようとしているのかも、しれない。


ひとの体というのは不思議なものだと、小学六年生の僕は思い知らされた。マスクをつけて赤く腫《は》れたまゆみの口のまわりは、家に帰って夕食を食べている頃からしだいに腫れがひいてきて、朝になると元に戻っていた。

「マスクでかぶれたん違うか」と父は言った。不機嫌な顔と声――早川先生がマスクをつけさせたことに、前夜からずっと腹を立てていた。

でも、母は「ガーゼでかぶれるやら、聞いたことないわ」と軽く笑う。「家に帰ってからぎょうさん歌うたけん、治ったんよ」

なあ、まゆみ、と頭を撫《な》でる。まゆみはうつむいて、くすぐったそうに笑っていた。母はそのまま、「ほな、元気で行っておいで」とまゆみを送り出した。まゆみの体調を心配することも、これからのまゆみを案じることもなく、台所で朝食の食器を洗った。

僕は母の背中をじっと見つめた。たぶんにらむようなまなざしだったと思うのだが、もしかしたら途方に暮れた顔になっていたのかもしれない。

母は鼻歌を歌っていた。食器にふだんよりたくさん洗剤をつけて、流し台を泡だらけにして、洗っていた。

「幸ちゃん、早うせんと学校に遅れるよ」

母は僕に背中を向けたまま言った。のんびりした声だった。居間でネクタイを締めていた父が「あそこまでする権利、学校の先生にあるんかのう」と言っても、「そうじゃねえ……」と、わかったようなわからないような受け答えしかしなかった。

父が家を出て、少し遅れて僕も玄関に向かった。母はまだ流し台で食器を洗っていた。ふと台所を覗《のぞ》くと、朝食に使った皿はとうに水切りカゴに収まっていたが、母は食器棚にあった皿や茶碗《ちゃわん》や丼《どんぶり》も端から洗っていたのだった。洗剤をつけすぎている。泡からちぎれたシャボン玉が、後ろから見ると、まるで母のおなかのあたりから次々に噴き出ているみたいだった。

早川先生は、その日も、まゆみにマスクをつけさせた。まゆみは素直に従って、授業中は歌をうたわずに過ごして、先生に褒められて……また午後から口のまわりがむずがゆくなって、放課後マスクをはずすと、赤く腫れていた。

翌朝になると、やはり、腫れはきれいにひいている。

父はもう、かぶれだとは言わなかった。

「まゆみ、今日はマスクつけんでもええど。『お父さんがそげなことせんでもええ言うとりました』いうて、先生に言うちゃれ」

僕も——息子を持った立場になって思う、もしも亮介が学校でそんなことを強いられたら、絶対に怒る。

だが、母は逆に、父を咎《とが》めるように言った。

「そういうこと、まゆみに言わせんといて。先生に文句があるんやったら、あんたが自分で学校に怒鳴り込めばえええん違うん？」

なあ、まゆみ、とまた頭を撫でる。まゆみは少しほっとした顔になった。

父は舌打ちするだけで、それきり話は終わった。「よっしゃ、わしが先生に文句つけちゃる」とは言わなかった。僕も——いまなら、そんな父の弱さやずるさがわかる。自分だって同じようにしかできないだろうな、とも認める。

母は食器を洗う。食器棚の奥から、お客さん用の揃いの皿を出してきて、洗剤をたっぷりつけたスポンジで洗う。出がけに、台所からなにかが割れる音が聞こえた。あわてて台所に駆け込むと、母は足元の床から、急須《きゅうす》の蓋《ふた》を拾い上げているところだった。欠けた蓋を泡だらけの手で持って、僕を振り向き、「失敗してしもうた」と、のんきに笑った。

学校では、その日も同じことが繰り返された。ぴたりと歌わなくなったまゆみを見て、先生は自分のアイデアによほど満足したのだろう、『終わりの会』のときにみんなに言った。

「授業中に騒がしい子は、これからどんどんマスクつけさせるけんね」

ガーゼの糸くずが、虫のようにもぞもぞと蠢《うごめ》きながら、鼻の穴や口から体の中に入り込んできた気がした——あとで、まゆみはそんなふうに言っていた。

その日は、家に帰ってからも口のまわりの腫れはひかなかった。小さな発疹《ほっしん》も出ていた。まゆみは「かゆい、かゆい」と言って、濡《ぬ》らしたタオルで顔の下半分を叩《たた》いた。

タオルはすぐに冷たさを失い、乾いてしまう。いまにして思えば、熱を出していたのかもしれない。

その夜の夕食は、カレーライスだった。

母は「まゆみ、歌わんでええの？」と笑いながら言った。

まゆみはタオルを顔の下半分にあてたまま、あえぐように浅い息を小刻みにつくだけだった。発疹は顔の上のほうにも広がっていた。腫れもひどかった。顔ぜんたいが火照《ほて》って、目に見えない湯気がたちのぼっているみたいだった。

「おい」父が険しい顔で言った。「病院に連れていったほうがええん違うか」

僕もそう思った。怖くて、悔しくて、悲しくて、泣きそうになっていた。

椅子に座ったまゆみの体がぐらぐら揺れる。

「歌うて」

母が言った。まゆみの顔を覗き込むように食卓に身を乗り出して、「歌うてよ、なあ、まゆみ、歌うてごらん」とうながした。

まゆみはタオルをはずして、口をひくつかせた。

じゃーがいもさん、にーんじんさん、たーまねぎさん、おーにくさん、ぱっくん、ぱっくん、ぱっくん、ぱっくん……。

口は動いても、声は出てこない。あれ？　あれ？　というふうに、まゆみは何度も首をかしげる。おかしいなあ、と照れたように笑う。

じゃーがいもさん、にーんじんさん……。

歌えない。口の動きもしだいにぎごちなくなって、息づかいが荒くなった。

手つかずのカレーの皿を見つめるまゆみの目から、涙がぽろぽろとこぼれ落ちた。

「歌うてごらん、なあ、深呼吸して、大きな声で……ほら、まゆみ、歌うてみて……」

母も涙声になっていた。

父は無言で立ち上がり、車のキーを持って玄関に向かった。三和土《たたき》を蹴《け》りつけるように靴を履きながら、「幸司、保険証持ってこい！」と怒鳴った。

怖い目に遭《あ》ったり自信をなくしてしまうと、子どもは萎縮《いしゅく》する。それは決して、言葉だけのものではない。

まゆみの体は、ひとまわり縮んでしまった。歌えなくなって、息を大きく吸い込めなくなって、ランドセルの重みに押しつぶされるみたいに、顔を上げられなくなった。

一週間かけて病院をいくつかまわったが、発疹の原因ははっきりしなかった。発疹じたい一晩たつとだいぶ薄くなり、三日もすると元通りに治ってしまった。アレルギーの一種でしょう、と最後に検査をした大学病院の医師は言って、とりあえずマスクをはずして様子を見るよう指示した。

早川先生もさすがに、それ以上マスクをつけていろとは言わなかった。だが、両親とまゆみに謝ってはくれなかった。まゆみはもう歌えなくなったのに、それを信じてくれなかった。

また授業中に歌うんじゃないか、またクラスのみんなに迷惑をかけるんじゃないか、「他人に迷惑をかけない」というのは学校のルールではいちばん大切なことで、そのルールを守れない子どもはいちばん悪い子ども——だから、先生は学校を訪ねた両親に言った。

「あとちょっとなんです。いままでの悪い癖が、あとちょっとでなくなるところなんです」

父は「悪い癖」のところでカッとしたが、先生の言うことが正しいんだというのも認めていた。「向こうは大学も出とるけん、どげん言うても、理屈で言い訳を並べられて終わりじゃ」と、理屈のない言い訳を、家に帰ってから並べ立てた。

母は違った。先生に、その場で、きょとんとした顔で訊いた。

「ひとに迷惑をかけるんは、そげん悪いことですか？」

先生がそれにどう応《こた》えたのかは知らない。母は教えてくれなかったし、父は家に帰ったあとも「アホが、親が非常識なこと言うたら、まゆみが恥をかくだけじゃろうが」と母をなじるだけだった。

母はやはり愚かなひとだったのだろう。だが、いま、その愚かしさを、なんとなくくすぐったく思いだす。

ひとに迷惑をかけるんは、そげん悪いことですか？

もう二度と聞くことのできない母の声を、僕は、自分が生きている間ずっと覚えていられるだろうか。


ひさしぶりに登校したまゆみに、早川先生は「マスクはつけんでもええけんね」と笑って声をかけ、「でも」とつづけた。「気のつかんうちに歌がぽろっと出てくるんが、いちばんいけんのよ」

そして、「お口にボタンがついとったらええんやけどね」——まゆみの上下の唇を指で、洗濯ばさみで服を挟むように、軽く押さえた。

体罰ではない。先生はあとで——まゆみが学校へ通えなくなってから、絶対にそんなつもりはなかった、と校長先生に訴えた。ほんとうに軽く、笑いながら、半分冗談のつもりでちょっと挟んだだけなんです。

一時間目の国語の授業、先生は本読みにまゆみを指名した。まゆみは口を閉じたまだった。「はーい」と返事をすることができなかった。先生の指で挟まれた唇は、糊付《のりづ》けされたみたいに、上下が合わさったまま動かなくなってしまったのだ。

「なにしとるん？　早《はよ》う読んで」と先生は言った。まゆみが反抗していると誤解した。教師の言いつけを聞かないことも、学校のルールでは許されない。受け持ちの子どもに言いつけを聞かせられない教師も、教師のルールでは許されない存在なのだろう。

「なに黙っとるん、早う読みんさい！」と先生は声を張り上げて、まゆみをにらみつけた。

まゆみは口を閉じたまま、泣きだした。泣き声もあげられず、ふーん、ふーん、ふーん、と喉《のど》や鼻の奥でくぐもった音を出しながら涙を流しつづけた。

松葉杖の女の子が、僕の座るベンチの前を通り過ぎる。

いっち、に、いっち、に、いっち、に、いっち、に……。

付き添う母親の拍子をとる声が、僕の耳にも流れ込む。

がんばれ。声に出さずに、言った。

女の子は顔を真っ赤にして息を詰め、松葉杖のグリップを両手で強く握りしめて、一歩ずつ、遊歩道を進んでいく。


まゆみは次の日、家を出ることができなかった。前夜はふだんどおりに過ごし、おどけた冗談も口にしていたのに、朝になって玄関で靴を履いていたら体が急に激しく震えはじめ、上がり框《かまち》に座り込んで泣きだしてしまったのだ。泣き声は、ふーん、ふーん、ふーん。口を開けずに泣いて、驚いて玄関に出てきた母が「どうしたん？」と訊《き》くと、泣きながら抱きついて、昨日のできごとを初めて打ち明けたのだった。

居間でそれを聞いていた父は、興奮してダイヤルを何度も回しそこねながら学校に電話をかけ、まだ早川先生が来ていないと知ると、受話器を叩きつけるように電話を切った。

母はまゆみの肩を抱いて居間に戻ってきて、「今日は休ませてやろうなあ」と父に言った。「風邪気味いうことにして、ゆっくり寝させてあげようなあ」

のんびりした母の口調に、父はいっそういらだってしまい、「あの担任、クビにしちゃるけえの。校長に言うて、教育委員会にも言うて、二度と往来を歩けんようにしちゃる」と息巻いた。

でも、母は苦笑して「できもせんこと言わんでもええが」と父をなだめ、まゆみを子ども部屋に連れていった。

「まゆみ、今日はおかあちゃんとオセロたくさんしようなあ。お昼は、おかあちゃんと一緒にたこ焼きつくろうか。なあ、まゆみ……」

優しい声だった。優しすぎる声だ、とも僕は思った。風邪をひいて学校を休むのとは違うのに。どうしてまゆみがこうなってしまったのか、子どもの僕が聞いていてもわかる、簡単な話なのに。

父は鴨居《かもい》にかかった背広をハンガーからむしるように取って、どすどすと床を踏み鳴らして会社に出かけた。僕も、「行ってきます」を言わずに家を出た。母が「幸ちゃん、体操服持って行っとる？」とまゆみの部屋から訊いてきたが、返事をしなかった。

その日から、まゆみは学校を休みつづけた。三日目の放課後、父は会社を早引けして学校に行った。校長先生と早川先生と三人で長い話し合いをして、疲れきった不機嫌な顔で帰ってきた。

四日目からも、まゆみはあいかわらず学校へ通えなかった。

「まゆみはオセロが強うなったけん、おかあちゃんじゃと相手にならんわ」と嬉《うれ》しそうに笑っていた母が声をとがらせたのは、五日目の夜――父が「まゆみは、ふつうの学校じゃ面倒見てもらえん子ぉかもしれんのう……」とつぶやいたときだった。

「まゆみは、ええ子です。うちの、かわいい子です。あんたのかわいい娘で、幸ちゃんのかわいい妹です」

母はあらたまった言葉づかいで、きっぱりと言った。

一週間目の夕方、給食のパンを届けに家に寄った同級生が、六月に学校で書いた作文が返されたからと、まゆみのぶんの作文も持ってきてくれた。

『わたしのすきなもの』と題された、短い作文だった。まゆみは「作文」の意味がよくわかっていなかったのか、好きなものを順に挙げていっただけの文章で、だから早川先生は〈たいへんよくできました〉ではなく、〈よくできました〉のゴム印しか捺《お》してくれていない。

わたしのいちばんすきなものは、うたをうたうことです――と、まゆみは書いていた。

つぎにすきなのは、おかあさんです。

そのつぎにすきなのは、おとうさんと、おにいちゃんが、どうてんです。

そのつぎにすきなのは、がっこうです。

そのつぎにすきなのは、はやかわせんせいです。

原稿用紙を膝《ひざ》の上に広げて、しばらく目を上げなかった母は、作文に声をかけるように、テレビを観《み》ていたまゆみを呼んだ。

「あんた、いまでも学校好きなん？」

まゆみは黙ってうなずいた。

「歌も好きなん？」

もう一度黙ってうなずいた。

振り向いて確かめたわけではなかったのに、母は「そうやね、大好きやもんねえ」と相槌《あいづち》を打ち、ふーう、と息を吐き出した。

顔を上げる。目が真っ赤に潤《うる》んでいた。鼻の頭も赤かった。部屋の片隅の一点を見つめた母は、息を大きく吸い込んで、またゆっくりと吐き出した。

7

縁側に腰かけて、葬儀会社のひとたちがトラックから祭壇《さいだん》の部品を運び込むのをぼんやりと眺めていたら、まゆみが座敷から出てきて僕の隣に座った。

「なんか……時間持て余すね」

「おばさんが仕切ってるのか、向こうは」

「うん。うちが子どもの頃とは家の中もだいぶ変わっとるけん、なーんもわからんもん。もう、邪魔者扱い」

「おふくろは?」

「近所のひとが線香を見てくれとるけん、うちとおにいちゃん、いまのうちに近くでお昼食べてきんさい、って。台所は炊《た》き出しの支度《したく》で、なんもできんけん」

食欲はなかったが、家にいても手伝うことはほとんどないし、家に居残って伯父や伯母に「奈津子さんと亮介はいつ来るんな」と訊かれるのも面倒だった。

「じゃあ、ちょっと行ってくるか」

サンダルをつっかけて縁側から下りると、まゆみはなにか言いたそうな顔になった。

「どうした?」

「……おにいちゃん、おなか空《す》いとる? もし、ごはん食べんでもええんやったら、ちょっと散歩せん?」

「散歩って、そんな時間ないだろ」

「ええやん、うち、小学校まで行ってみたいんよ。付き合《お》うてよ」

まゆみが僕に伝えたいことと、まゆみ自身が嚙《か》みしめたいことが、それでわかった。

玄関に回って靴を履いていたら、一緒に玄関まで来たまゆみは、三和土を指差した。

「最初の日は、ここまでが精一杯」

「そうだったよな……」

「で、次の日は、ここまで」玄関の外を指差す。「足を一歩踏み出すだけで、二、三分かかったん違うかなあ」

三日目は、門の手前まで、だった。

「ここから先は、どないしても足が動かんの。靴に重石《おもし》がついたみたいになって、ぴたーって、地面から足が上がらんかったんよ」

まゆみは「気をつけ」の姿勢で門の手前に立ち、「外に出られるようになるまで、三日ぐらいかかったと思う」と言った。

「おふくろは？　どんなことしてた？　『がんばれ』って言ってたのか？」

「ううん。いっぺんも言わんかったよ、おかあちゃんは。ほんまに、『がんばれ』は言わんかったなあ……」

記憶をたどって確かめて、「言わんかった、うん、ほんま」と念を押した。

「だったら……たとえば、先に門の外に出て、おまえのほうを向いて、ほら、両手を広げて『ここまで出ておいで』とか……」

まゆみはかぶりを振った。母は決して、まゆみの先を歩いたりはしなかった、という。

「ずーっと、うちと並んで歩いてくれたんよ。うちが途中で歩けんようになったら、おかあちゃんも立ち止まって、うちがまた歩きだすまで、並んで待ってくれてた」

僕は——違った。

亮介に何度も「がんばれ」と言った。玄関の外で亮介を待ちかまえて「さあ、ここまで来い、がんばれ、お父さん待ってるんだから」とも言った。間違っていたとは思わなくとも、そうではないやり方もあったのかもしれないと、いま、思う。

まゆみは「気をつけ」の姿勢から、また歩きだした。門を抜けて外の通りに出るとき、一瞬、顔が緊張したように見えた。あの頃を真似《まね》てそうしたのか、あの頃を思いだしたせいで自然にそうなってしまったのかは、わからない。

「こんなんしとったら、きりがないね」と笑って足を速めるまゆみを追いかけながら、僕は小学一年生の頃のまゆみと、ランドセルを背負った肩を包み込むように抱いて歩く母の背中を思い浮かべた。

母は、まゆみと二人で、ふつうに歩けば子どもの足でも十五分ほどの小学校までの道のりを、何日も、何週間もかけて、歩いていった。父と僕が家を出ていったあと、松葉杖《づえ》の少女と母親が病院の遊歩道を歩いていたように、ゆっくりと、二人きりで、『まゆみのマーチ』を歌いながら。

まゆみが小学校を好きだと作文に書いていたから、小学校に通わせる。屁《へ》理屈にすらならない考えで、晴れの日も雨の日も、まゆみに付き合って少しずつ、ほんとうに少しずつ、歩く距離を延ばしていった。夏休みは丸々つぶれた。九月になっても、まだ道のりは遠かった。

家を出て最初の信号にさしかかると、まゆみは「このへんまで来るのに、一カ月やったかなあ」と懐《なつ》かしそうに言った。「通行人のひとがじろじろ見るんよ、恥ずかしかったやろなあ、おかあちゃんも……」

「おふくろ、ずっと歌ってたのか、『まゆみのマーチ』」

「うん、信号待ちだろうがなんだろうが関係ないんよ、家を出たあとはずーっと、おんなじ歌ばっかり歌うてくれて……うちに合わせてゆーっくり歩くやろ？　で、うちの肩を抱いてくれるやろ？　それ、中腰なんよね。背中や腰が痛かった思うよ、おかあちゃん」

神戸で震災に遭ったお年寄りの介護をしていると、あらためてそれに気づいたのだという。だから——「うちも歌うてあげるんよ、おじいちゃんやおばあちゃんに、『山本さんのマーチ』やら『原田のおばあちゃんのマーチ』やら、ずーっと歌うてお風呂《ふろ》に入れてあげたり、ごはんを食べさせてあげたり」

「……どんな歌なんだよ、ほんとに」

「すっごい簡単な歌」

まだ、それだけしか教えてくれない。

「替え歌とか、すぐにつくれるのか？」

「うん、もう、簡単簡単。『亮介のマーチ』もすぐにできちゃうって」

まゆみは、電柱に道案内の紙を貼《は》っていた葬儀会社のひとに会釈《えしやく》して、「なんか、まだおかあちゃんが死んだいうてピンと来んなあ」と苦笑交じりに首をかしげた。

「東京にはもう連絡したんやろ？」

「さっき奈津子から電話があって、亮介もお葬式に行きたがってるけど、やっぱりちょっと無理かもしれない、って。駅や電車の中がキツいんだ。パニックになっちゃうんだ」

ああそう、とうなずいたまゆみは、しばらく黙って歩きつづけた。

道のりの半ばあたり――昔は旧式の、いまは新しいものに変わった郵便ポストの前で、立ち止まる。

「……おにいちゃん」

「うん？」

「うちが『まゆみのマーチ』を教えてあげたら、おにいちゃんも亮ちゃんに歌うてあげてくれるん？」

「ああ……歌ってやりたい」

「ちょうどこのへんなんよ。このへんまで歩けるようになって、うちも『まゆみのマーチ』をおかあちゃんと一緒に歌えるようになったんよ。うちがちっちゃな声で歌うたら、おかあちゃん喜んだなあ、ほんま、嬉しそうな顔してくれて、特別サービスしてあげる言うて、帰りはうちをおんぶしてくれて……おかあちゃんの背中にほっぺたくっつけて、うち、歌うたんよ、『まゆみのマーチ』、ずーっと歌うた……」

まゆみは晴れた空を見上げ、足取りをスキップのようにはずませて、歌った。

まゆみが好き、好き、好き、まゆみが好き、好っき！　まゆみが好き、好き、好き、
まゆみが好き、好っき！　まゆみが好き、好き、好き、まゆみが好き、好っき！

「……おまえ、これって……俺、聴いたことあるぞ……」

絶句してしまった。『まゆみのマーチ』は、そもそも替え歌だった。僕がまだ小学校に上がる前――まゆみが生まれる前に放映されていたテレビアニメの歌だ。

たしか題名は『悟空の大冒険』といった。手塚治虫《おさむ》のマンガを原作にした、孫悟空が主人公のコメディー。

「学校が好き、好き、好き、勉強が好き、好っき！」――番組の終わりに流れる曲の、最初のフレーズを、母は替え歌にして延々繰り返していたのだった。

まゆみは僕の顔を覗《のぞ》き込んで「がっかりした？」と笑う。

僕はなにも応《こた》えない。まゆみもなにも言わない。

長い沈黙のあと、僕はゆっくりと首を横に振った。


小学校に着いた。校舎はとうに建て替えられ、三十年前の面影はほとんど残っていなかったが、まゆみは正門のゲート越しにグラウンドと校舎を見渡して、「ここまで来ましたぁ」と笑った。

「何月だったっけ、おまえが学校に戻ったの」

「十月。運動会のちょっとあと」

「三カ月以上かかったんだよな」

「うん……でも、三カ月かかったおかげで、うち、一生ぶんの『好き』をお母ちゃんから貰《もろ》うたけん。シャワーみたいに、好き好き好き好き好き……毎日毎日、言うてくれたんやもん。うち、幸せ者やと思う。世界中で、こんなに自分の親から『好き』を言うてもろうた子、絶対におらんもん。うち、世界一幸せな女の子なんよ」

　まゆみは元通り学校に通えるようになった。だが、つらかったあの日々が心の中のなにかを壊してしまったのか、ほんとうはもともと壊れてしまったところのある女の子だったのか、まゆみはそれから先も、学校や世の中となかなかうまくやっていけなかった。

　友だちからいじめられたこともある。中学の担任の先生からは態度が反抗的だと叱《しか》られどおしで、悪い仲間と原付バイクを乗り回したり、駅前にたむろしたりしていた時期もある。高校を落第すれすれの成績で卒業して、大阪の専門学校に入って、親に黙って中退した。勤め先を転々とした。男とのトラブルでアパートへ帰れなくなり、友だちの家を泊まり歩いていた頃もあった。結婚歴は一度。二十代の初めに入籍だけして、僕たちに夫を紹介する間もなく、離婚した。不倫で揉《も》め、携帯電話をしょっちゅう解約した。不運に見舞われた失敗もあっただろうし、性格が弱かったせいで転げ落ちた坂道もあったはずだ。これから残り半分近くになった人生をどう生きていくのか、たぶん、まゆみ自身にもなにもわかっていないだろう。

まゆみはずっと、父の苦労の種だった。僕も、あきれたり、腹を立てたり、うんざりしたりの繰り返しだった。

たまに会うときのまゆみはいつも「元気、元気」と言って笑っていた。

母はまゆみが家に帰ってくると必ずカレーライスをつくって、「そんなん、この歳《とし》になったら、恥ずかしゅうてよう歌わんわぁ」と笑うまゆみに代わって、一人で『カレーの歌』を歌った。

じゃーがいもさん、にーんじんさん、たーまねぎさん、おーにくさん、ぱっくん、ぱっくん、ぱっくん、ぱっくん……。

何年前だったか、その歌を聴いて、それまで陽気におしゃべりをしていたまゆみが、不意に涙ぐんだ夜もあった。

「帰ろうぜ、そろそろ」

声をかけると、まゆみはグラウンドを見たまま、「いま来た道、おとうちゃんも歩いたんよ」と言った。「脳梗塞《のうこうそく》のあとのリハビリで、おかあちゃんが付き添うて、がんばるけん、まゆみも昔この道をがんばって歩いたんじゃけん、わしもがんばってリハビリするけん……言うてね、毎日、歩いたんよ」

知らなかった。

僕は、なにも。

「うち、おかあちゃんも好きやし、おとうちゃんのことも好き。うち、おかあちゃんに一生かかっても使いきれんほどの『好き』を言うてもろうたけん、それがあったけん、どげんつらいときでも元気出せたけん……おとうちゃんにもおかあちゃんにも、たくさん『好き』言うてあげたかったのに……もう、おらんやん……おとうちゃんも、おかあちゃんも、もう死んでしもうたやん……」

まゆみはゲートの格子《こうし》を両手でつかんで、泣きだした。うわああん、うわああん、と声をあげて、泣いた。

8

玄関のドアを開けると、奈津子は目を真ん丸にして「どうしたの?」と甲高い声をあげた。「なにかあったの?」

僕は「喪服、取りに来たんだ」と笑う。「昼過ぎの便に乗れば、お通夜《つや》にぎりぎり間に合うから」

「だって……向こうで喪服買うって……」

「買ったけど、いいんだ、ウチのを持っていくから。とりあえず朝飯にしてくれ、ゆうべからほとんどなにも食ってないんだ」

仮通夜をすませ、朝一番の飛行機でふるさとを発《た》って帰京したのだった。

一晩中、母のそばにいた。線香とろうそくの番をしながら、ときどき、顔にかけた白い布を取って母の顔を見つめた。半年間の闘病生活ですっかり面やつれしていた母だが、頬に綿を含み、死化粧をほどこされた顔は、昔のようなのんびりした笑みを浮かべているようだった。

祭壇《さいだん》を組み上げた座敷では、親戚《しんせき》が集まって夜遅くまで酒を飲んでいた。酔って大きくなった話し声は、奥の和室にいる僕にも聞こえた。僕とまゆみは、覚悟していた以上に親戚たちから顰蹙《ひんしゅく》を買っているようだ。

出来がよかったのに、東京に出ていったきり、ふるさとにちっとも顔を向けない長男。子どもの頃から面倒ばかりかけてきて、なにをしているかもわからないような長女。「兄貴もねえさんも、子どもを甘やかしすぎとったけんのう」——父のすぐ下の弟の声だった。叔父夫婦は、どうやら、住むひとがいなくなるこの家の今後のことを心配しているらしい。

僕は台所から一本だけ持ってきていた缶ビールを啜《すす》りながら、母に謝った。

「おかあちゃん、ごめんな」

寂しい思いをさせてきた。家や土地も、親戚の誰かが望むなら、譲り渡すつもりだった。跡取り息子としては失格だろう。

父が生きていたら、叱りとばされてしまうかもしれない。

だが、母なら――許してくれるだろう、と思う。許してください。線香を取り替えながら、心の中で、祈った。

日付が変わる頃、ようやく親戚がひきあげて座敷は静かになった。ずっと台所にいたまゆみが部屋に入ってきて、「うちと交代しよう」と言った。「ゆうべ徹夜じゃったけん、早《はよ》う寝んと」

「……俺、いいよ、ここにいる」

「どうしたん、おかあちゃんにべたべた甘えたいん？」

まゆみはからかうように言って、母の枕元《まくらもと》に膝《ひざ》をつき、顔の白い布をはずした。

「おかあちゃん、よかったなあ。もうおにいちゃんに叱られんでもええんで。おにいちゃん、優しゅうしてくれよるじゃろ？」

僕は苦笑して、さっきからぼんやりと考えていたことを、言葉にして口に出した。

「明日、ちょっと東京に帰ってくる。お通夜の時間には間に合うと思うけど、昼間、悪いけど、おまえにまかせていいか？」

まゆみは母の頰をそっと撫《な》でながら、「亮ちゃんのこと？」と訊《き》いた。

「うん……無理だと思うけど、できるだけのことはしてやりたいんだ」

「『亮介のマーチ』歌うてあげるん？」

「歌はうたわないけど、ちょっとさ、おふくろみたいにやってみようかと思って」

まゆみは黙ってうなずいた。

僕はビールを一口啜り、さっきからぼんやりと考えていた、もうひとつのことを言った。

「俺も歌ってほしかったなあ、おふくろに」

なに言うとるん、とまゆみは笑う。

「歌うとったよ、おかあちゃん。誰にも聞こえん声で、ずーっと、おにいちゃんにも歌うとってくれたよ。そんなん、あたりまえのことやん」

ほら、おかあちゃん、歌うてあげて、とまた頰を撫でる。

幸司が好き、好き、好き、幸司が好き、好っき！　幸司が好き、好き、好き、幸司が好き、好っき！

「うち、思うんよ。どげんことがあっても、最後の最後は、おかあちゃん、うちのこと『好き』言うてくれたやんか思うと、つらいことないし、怖いもんないなあ。おかあちゃん、うちのこと好きやもん、なあ、おかあちゃん、うちやおにいちゃんのこと、大、大、だーい好きやもんなあ、おかあちゃんは……」

僕は亮介を、何度も褒めてやった。励ましてやったし、慰めてやったし、ハッパをかけてもやったし、かばったりもしてやった。

だが、「好き」と言ってやったかどうかは、わからない。

まゆみは白い布を母の顔に掛け直して、言った。

「おかあちゃん、もう天国に着いた？　まだ途中？　歩こうなあ、ゆっくりでええけん、歩いていこうなあ」

歌うような抑揚のついたまるい声は、そのまま、歌声に変わった。

おかあちゃんが好き、好き、好き、おかあちゃんが好き、好っき！

僕も、低い声で、ぼそぼそと歌った。まゆみが振り向いて笑う。「おにいちゃん、歌、上手やん」と小刻みに瞬《またた》いて、また母に向き直り、いとおしそうに髪を撫でた。

「亮介……お父さんと外に出よう。おばあちゃんにお別れしてやろう」

汗のにおいの澱《よど》んだ部屋に座り込んで、僕は言った。「途中まででいいんだ、行けるところまでお父さんと一緒に行こう」とつづけ、「おんぶしてやるよ」と笑った。

亮介はベッドに座り込んで膝を両手で抱えたまま、「行けないよ」と細い声で言う。

「……電車に乗りたくないし」

「電車なんか乗らなくていいんだ。飛行機にも乗らなくていい」

「……なんで？」

「おばあちゃんは、おまえがおとなになっても、ずーっと待っててくれるよ。だから、今日は行けるところまででいいんだ。明日も、あさっても、ちょっとずつでいいんだ。おばあちゃんのことが好きなんだったら、おばあちゃんのところに行こう。学校のほうが好きだったら、学校に行ってみよう」

「……おかあさんは?」

「いま、荷造りしてるけど、いいんだ、今日は田舎まで行けなくても。お父さん、おまえと一緒にいるから」

母は――許してくれる。

「外に出よう」

僕はベッドの横でおんぶの姿勢をとった。

「一歩ずつでいいから、お父さんと一緒に外に出よう」

目をつぶって、しゃがんだまま、待った。

沈黙がつづいた。さっきまでかすかに聞こえていた、奈津子が荷造りをする物音も、消えた。

外はいい天気だったのだ。東京には珍しく、青い空が、ふるさとに負けないくらい、ほんとうにきれいだったのだ。見せてやりたい。

やがて、静かに、背中に重みがかかった。

よかったねえ、幸ちゃん、よかったねえ、と母が言ってくれた。

僕は両足を踏ん張って立ち上がる。奈津子が玄関のドアを開けて、陽の光が射《さ》し込んだ。

「一緒に行こう、亮介」

僕は足を一歩、踏み出した。身をすくめる亮介のお尻《しり》を両手で支えた。

外はまぶしい。ちかちかする光の中で、母が笑っていた。

あおげば尊し

1

やるべきことは、すべてやった。

劇的な効果は上がらなかったものの、それはもう最初から覚悟していたことだ。

「あとは、お父さんの望むような日々を送らせてあげるのがいちばんだと思います」

主治医の言葉に黙ってうなずいた。

「ホスピスへの紹介状はいくらでも書きますが、やはり最後まで自宅で、ということになるんでしょうかね、お父さんの性格ですと」

そうですね、と苦笑いで応《こた》えた。父は頑固なひとだ。定年退職してから知ったことだが意外と人見知りをするし、病状が重くなるにつれて短気になり、わがままにもなった。気の強い付添婦や看護婦と喧嘩《けんか》ばかりしてきたが、三カ月におよぶ入院生活をいま振り返ってみると、看護婦の口のきき方に腹を立てて「あいつらは学校でなにを勉強してきたんだ」と僕に愚痴《ぐち》っていた、その頃の元気が懐《なつ》かしくも感じられる。

「在宅医療のチームも、すぐにご紹介します。看護婦は三人でローテーションを組んで朝晩二回訪問しますし、一日一回は訪問ドクターがうかがいます。もちろん、容態が急変すればすぐに駆けつける態勢になっています」

主治医はそこで言葉を切り、僕をじっと見据えて、「でも……」とつづけた。「病院サイドができるのは、あくまでもバックアップだけですから」

僕はまた黙ってうなずいた。

「在宅で看取《みと》るというのは、決して楽なことではありません。それだけはご家族の皆さんにも覚悟しておいてもらいたいんです」

わかっている。それは、最初から。

「ただ、お父さんの場合は、ご本人の気持ちもしっかりしてらっしゃるし、アルツハイマーや脳梗塞《のうこうそく》の麻痺《まひ》のように先の見えない介護というわけじゃないですから」

わかっている――これも。

早ければ一カ月、長くても半年にはならない。いまは一月の終わり。父は今年の秋を迎えることはできないだろう。八月の誕生日も、たぶん、無理だ。享年《きようねん》六十七……こういうのは数え歳《どし》で計算するんだっけ。だとしたら、六十八。いずれにしても、「天寿をまっとうした」と呼べるほどの歳ではないにせよ、父はもうじゅうぶんに生きたのだと思う。僕も先月、満四十歳になった。喪主をつとめるのに若すぎる歳ではない。

「お父さん、定年退職なさってから何年になります？」

「七年、かな」

「こないだね、おもしろいことがあったんですよ」

先週の朝の回診のときだった。父は明け方に投与された睡眠導入剤が効いて、うつらうつらしていた。「峰岸《みねぎし》さん、峰岸さん、おはようございます、おかげんはいかがですか？」と主治医が声をかけても、目をつぶったまま、喉《のど》から息とも声ともつかない濁《にご》った音を出すだけだった。そんな父が、看護婦が主治医を「先生」と呼んだら、「おう」と応えた。「どうした？」とまで言った。

「そのときは思わず笑っちゃったんですけど、あとから、じわじわって感動してくるんですよ。なんていうか、やっぱり『先生』っていうのは、一生『先生』なんだなあ、ってね……」

主治医は感動の余韻を味わう口調で言ったが、それを聞く僕のほうは、目をすっとそらした。胸の奥に、冷たい水滴が落ちる。

父は確かに、一生「先生」なのだろう。教師という職業に誇りを持ち、校長まで勤めあげた自分の人生に誇りを持って、死んでいくのだろう。

　主治医は気づかなかったのか？

　三十八年間も教師をつづけ、定年前の二年間は地域の高校の校長会の会長までつとめていた父が三カ月も入院していたというのに、お見舞いに訪ねてきた教え子は一人もいない。

　いずれ市営の斎場で営まれるはずの父の葬儀に参列する教え子も、いないだろう。僕だって——もしも高校生の頃に父に教わっていたら、お見舞いにも葬儀にも行かない。

「峰岸さんは、小学校でしたっけ」

「ええ、そうです」

「じゃあ、親子二代で『先生』ってわけだ」

　そうなりますね、と口だけ動かして受け流し、そこから先は話題を変えた。退院の手続きや在宅看護の段取りについての説明を受け、いくつか質問をして、最後にあらためて父のいまの病状を確認した。

　肺ガンはすでに末期に入っている。右側の肺はまったく機能していないし、左側も、生きている部分は二割ほどだという。ガンはリンパ腺《せん》を通じて全身にばらまかれた。

食道も胃も、大腸も小腸も、もう息絶えている。この数日しきりに訴えている尿の詰まりは、尿道や膀胱《ぼうこう》もガンに冒されているためらしい。

「あと、おとといから、まぶしいまぶしいって言ってるんですけど」

「視神経ですね。脳に転移したガンが視神経を圧迫しているんだと思います」

主治医はそう言って、かねて僕に伝えていた余命を訂正した。

「長くても……二カ月というところでしょうね」

桜の季節には間に合わない。

会釈《えしやく》して、席を立った。

「お父さんに、最後にいい思い出をつくってあげてください」と主治医は静かに言った。


翌週、父は退院した。母や僕や妻が受けていた在宅看護の講習はまだ途中だったが、父は「家に帰る」の一点張りで、最後は根負けした格好になった。

有給休暇を取って父を連れ帰った。病院側は救急車を手配すると言ってくれたが、父は絶対に嫌だと言って譲らず、結局、僕の車で帰った。道中、父は一言もしゃべらなかった。ひさしぶりに見る、そしておそらく最後になる街の風景を、父はただ黙ってじっと見つめていた。

十年ほど前に自宅を二世帯住宅に改築したとき、両親の暮らす一階に、二階からも直接出入りできる部屋をつくった。ハウスメーカーの営業マンが「ファミリールーム」と呼んでいたその部屋を、父の部屋にした。陽当たりは悪くない。風呂《ふろ》やトイレにも近いし、母が丹精している庭の緑もよく見える。

「ここがお父さんの部屋だから」

車椅子《くるまいす》から介護用の傾斜ベッドに父を移して、僕は言った。両手で抱きかかえる父の体は、もともと小柄なひとではあったのだが、両足を踏ん張らなくても支えられるぐらい軽くなっていた。

「テレビもあるし、小さいけど冷蔵庫もあるから、居心地はいいと思うよ」

退職後の父のいちばんお気に入りの場所だった籐《とう》椅子も、両親のリビングから持ってきた。最期《さいご》の時は、ベッドよりも、できればこの椅子で迎えさせてやりたい。

それから、と僕は壁を指差した。写真が掛けてある。学校の校舎を背にした、大きな桜の木の写真だ。

父は痩《や》せこけた頰《ほお》をわずかにゆるめた。隣の市にある県立高校の写真だった。父が校長として赴任した初めての学校――いまでもいちばん懐かしがる。初めて取り仕切った卒業式の日、例年より早く咲いた桜がはらはらと散り落ちる光景を忘れられない、という。

「あと……他になにか要《い》るものあるかな」

父は少し考えてから、口を小さく動かした。

ほ、ん、だ、な。

「新しいのを買うの？」と訊《き》くと、枕《まくら》で支えた首を横に振ろうとした。

「ああ、いい、わかるから、いいよ」

あわてて制し、父の書斎の中だけでも五つある本棚のどれを持って来るのか訊いた。

父は口で説明しようとしたが、ガンは喉や上顎《うわあご》も冒していたし、なにより栄養分を補給するカテーテルを胸に挿しているので、息はなかなか声にならない。僕は封を開けたばかりの小さなホワイトボードに書斎の見取り図を走り書きした。在宅医療の医師に勧められたボードが、予想よりずっと早く役に立った。

「これの、どの本棚？　指で差すから、正解だったら、うん、って答えてみて」

父が選んだのは、書斎の机の隣に置いたガラス扉付きの本棚だった。中に入っている本もすべて、そのまま持ち込んでほしい、という。

「わかった。じゃあ、お父さんが風呂に入ってるときに持ってくるから」

お、も、い、ぞ、と掠《かす》れ声で言う父に、「だいじょうぶだよ、和樹《かずき》にも手伝わせるから」と笑ってやった。一人息子の和樹は高校一年生だ。背丈を抜かれた。腕相撲でも、このまえ、初めて負けた。

和樹が学校から帰ってくると、本棚を運び出す手順を決めるために書斎に入った。

「これなの？」

和樹が怪訝《けげん》そうに言う。

「ああ……これなんだけどな」と応える僕も、思わず首をかしげた。

ガラス扉付きの本棚には、本は一冊も入っていない。中にぎっしりと並んでいるのは、すべて、卒業アルバムや卒業文集の類《たぐい》だった。

「おじいちゃん、別のと勘違いしてるんじゃないの？」

「かもなあ……」

「ちょっと俺、訊いてこようか？」

「いや、いいよ」

父がそばに置きたがっているのは、やはり、この本棚なのだろう。四十年近い教師生活の歴史とともに最後の日々を過ごしたい、と願っているのだろう。

その気持ちは、僕にもわかる。わかるから――少し、つらくなる。

父は厳しくて冷たい教師だった。つまらない譬《たと》え話をするなら、学園青春ドラマの嫌われ者役の教師。生徒を枠に押し込み、管理して、自由を認めず、成績の良くない生徒や素行に問題のある生徒は容赦なく切り捨てる、そういうタイプの教師だった。

生徒を人間として未完成なまま社会に出すことはできない――それが父の教育論だった。

「自由」と「非常識」とを混同するな、とよく言っていた。「生徒を愛すること」と「生徒を甘やかすこと」とは違うんだ、というのも口癖だった。

たいして取り柄のない連中が社会でやっていくために必要なものは、勤勉さと従順さで、それを植え付けるために学校という場がある。父はその信念に基づいて、体罰をためらわなかった。事件や問題を起こした生徒に対しては、同僚の誰よりも厳しい処分を科してきた。去る者は追わない。他の生徒に悪影響を及ぼしそうな芽は早めに摘み取る。

専門の日本史の授業よりも、クラス担任や生活指導の仕事のほうに、教師としてのやり甲斐《がい》を感じていた。「日本史の授業なんて、社会に出てもたいして役に立たないんだ。でもな、学校という場で学んだことは、絶対に社会でも必要なことなんだ」

――父にとっての学校という場は、甘やかされて育った子どもたちに秩序と厳しさを教える場だった。未完成な子どもを少しでもおとなに近づけることが、父の考える教師の使命だった。

　現場の教壇《きょうだん》に立っていた頃は、毎年何人もの生徒を中途退学処分にしてきた。留年させた生徒も数多い。停学処分になると、もう、数えきれないほどいる。

　教頭や校長になってからは、「底辺校」や「教育困難校」と呼ばれる学校ばかり回ってきた。それを自ら望み、また「荒れている学校を立て直してほしい」という求めに応えたことも多かった。学校に厳しさを求める教師や親からの支持を受け、反発する教師や親を無理やり抑えつけて、実際、いくつもの学校で成果を上げてきた。

「いいか、光一《こういち》。教師は目先のことを考える仕事じゃないんだからな。それが他の仕事とのいちばん大きな違いだ」

　父は、僕が小学校の教師になったとき、重々しい口調で言った。目先の評価――たとえば生徒の人気などにとらわれていると、教師としてほんとうにたいせつなものを見失ってしまう。生徒には嫌われるぐらいがちょうどいい。

「子どもは未完成な人間なんだ、小学校で教えるんなら特に、それを絶対に忘れるな。未完成な人間に『いい先生』と呼ばれたってしかたないだろう。そうじゃなくて、生徒がおとなになってから振り返って、『ああ、あの先生はいい先生だったんだな』と思わせなきゃいけないんだ。わかるな？」

それは、わかる。共感はできなくても、父の考えも理解できる。少なくとも、父はいつも一所懸命な教師ではあった。教師という職業と、学校という場に誇りを持ち、だから、教育委員会の権威に頼ったり警察を学校に踏み込ませたりは決してしなかった。

「ガキのうちはいいんだ、どんなに恨まれても。あいつらがおとなになってからお父さんの教えたことをわかってくれれば、それでいいんだよ。『わかりました』なんて言わなくていい、俺に教わったんだってことも忘れてかまわない。とにかく、俺はだな、俺は、あいつらがみんなまっとうなおとなになってってくれれば、って……」

定年後は急に酒が弱くなった父は、酔った夜は、そんなことを繰り返し話した。酒の相手をする僕にではなく、父自身に語りかけるように。

通算すれば一千人をゆうに超える父の教え子は、みんな、おとなになった。

父は教え子の結婚式に招《よ》ばれたことはない。昔の教え子が懐《なつ》かしがって家を訪ねてきたこともない。年賀状でさえ、教え子の誰からも、来ない。

父は、厳しくて、冷たくて、寂しい教師だった。

父の最後の日々は静かに過ぎていった。平日の昼間は母と妻に看護を任せるしかなく、二人の看護疲れも案じていたのだが、それは取り越し苦労ですみそうだった。意識が混濁しないぎりぎりの投与量で処方されたモルヒネが効いているのだろう、病院にいた頃のように背中や腰の痛みを訴えることもなく、訪問医療チームの看護婦の指示にも素直に従っていた。

気分の良いときには、ベッドから籐椅子に移って、いまも定期購読をつづけている教育雑誌を読み返す。父の信念からすれば、いまの学校や子どもたちをめぐる状況は腹の立つことばかりのはずだが、記事の感想めいたものはなにも口にせず、ただ黙ってページをめくっていた。

「お義父《とう》さん、ずいぶん枯れちゃったね。この調子なら、お義母《かあ》さんもだいぶ楽なんじゃない？」

妻の麻理《まり》が、ほっとした様子で言った。同じ状況に、安堵《あんど》よりも微妙に拍子抜けした気分を感じてしまうのは、家のことを任せきりにする夫の身勝手さ、なのだろうか。

「なにか欲しいものとか言ってないか？」

「ちっとも」

「やりたいこととか」

「それも、べつに。お義父さん、あんまりしゃべらないし、こっちからそういうことを訊くのって、ちょっと変じゃない？」

「まあ、それはそうだけど……」

父が望むことは、できるだけかなえてやりたい、と思っていた。

だが、五年前に父親を、おとしは母親を亡《な》くした麻理は、そんな僕の思い入れをいなすように笑った。

「ウチの両親もそうだったけど、あれをしたいとか、これが欲しいとかって、やっぱり体力や気力が要るのよ。なにかを欲しがってるうちは、まだだいじょうぶっていうか……最後の最後は、そういうのも、ぜんぶ消えちゃうんだと思うのよね。ほら、思い残すことはなにもないって言うじゃない、それって、ほんとだと思う。最後まで思い残しや後悔を背負ったままだとつらいでしょ。だから、最後の最後は、ちゃんと消えてなくなるようにできてるんだと思う、人間って」

「でも、それはほんとに最後の、臨終間際《まぎわ》のことだろ？　まだ親父《おやじ》はそこまで来てないと思うけどなあ」

「来てるわよ」

「……そうか？」

麻理はまた笑った。気持ちはわかるけどね、というふうな笑顔だった。

「なにかをしてあげたいっていうのは、死ぬひとのためじゃなくて、遺《のこ》されるほうが満足したいっていうか、納得したいっていうか、そっちのほうが大きいんじゃない？」

そうかもしれない。

「まあ、こっちは体験者なんだから、わかんないことがあったらなんでも訊いて」

麻理はおどけて、えっへん、と胸を張った。

僕たちは同い歳《どし》の夫婦だが、親を看取《みと》るということにかんしては麻理のほうが先輩だ。なんだか一歩先を越されたような気がしないでもない。

親が死ぬ――ということを実感を持って考えはじめたのは、いつ頃からだっただろうか。

子どもの頃は、もしもお父さんやお母さんが死んじゃったらどうしよう、と布団《ふとん》の中で想像するだけで、悲しくてしかたなかった。あんなクソ親父、早く死んじまえ、としょっちゅう毒づいていた時期もある。三十代が終わりに近づくと、同年代の友人や知人から年賀状の喪中欠礼の葉書をぽつりぽつりと受け取るようになった。喪主をつとめる苦労話を聞かされることも増えたが、その頃はまだ僕の相槌《あいづち》は軽かった。親を看取る日がいずれ必ず訪れるのはわかっていても、それは「心の準備」や「覚悟」の段階にとどまっていた。

いまは違う。心の準備だの覚悟だのを云々《うんぬん》する余裕などなく、ただ目の前の現実として、もうすぐ死んでしまう父がいる。やらなければならない仕事として、父を看取る、ということがある。

悲しくはない。一日も早く死んでほしいとは思わないが、一日でも長く生きてほしい、と願っているわけでもない。ただ、このまま父のすべてが終わってしまうのは――嫌だ。

「そんなこと言うんなら、お義父さんが元気なうちに、もっと仲良くしとけばよかったのに」

麻理の言うとおりだった。父の命が尽きようとするいまになって、話しておきたいことが次々に浮かんでくる。僕の話も聞いてほしい。こんな時代に教育の現場に立つ苦労を、きっと父は「子《こ》どもに媚びるな」「親の顔色を窺《うかが》うな」としか返さないだろうが、それでも相談に乗ってほしいことはいくつもあるのだ。

「親父は、どんなふうに死んでいくんだろうな」

「最後まで気持ちはしっかりしたままなんじゃない？　告知したときだってそうだったじゃない。お義父さんって、ほんとに強いひとだと思うよ」

麻理は僕がうなずくと、「あと、お義母さんもね」と付け加えた。僕もそう思う。告知は母が決めた。「したほうがいい」ではなく「しなければいけない」という強い調子で、できればなにも知らせずに逝《い》かせてやりたかった僕に迫ったのだ。いかにも戦前生まれらしく父にひたすら従順だった母は、「男のひとには、死ぬ前にしておかないといけないことがたくさんあるんだから」と言う。定年退職して何年もたつ父にやり残したことがあるとは思えなかったが、母はどうしても譲らなかった。

「おふくろは、嘘《うそ》をつくのに耐えきれなかっただけだと思うけどな」

突き放すような言い方を、わざと、した。

「告知のこと？」

「ああ……」

やり残したことは、父にはなにもない。そうであってほしいし、そう信じていたい。実際、父は医師の告知を冷静に受け止め、取り乱したことは一度もなかったが、死ぬ前になにかをやっておきたいと言ったことも、一度もない。

そうだろ？　と訊《き》くと、麻理は少し間をおいて、「逆かもね」と言った。「やり残したことがあるのって、こっちのほうなのかもしれない。だから、お義母さんはちゃんと告知をして、お義父さんにしてあげたいことはぜんぶしてあげたかったんじゃないの？」

「でも、淡々としてるぜ、おふくろだって」

死期の迫った連れ合いをワゴンに乗せて、老夫婦二人きりの旅に出る——そんなテレビドラマを何年か前に観《み》た。ドラマと現実とは、やはり違う。父と母が急に仲が良くなったようには見えないし、思い出話にふけるわけでもない。父は静かに人生を閉じ、母は静かに見送る。映画でいうなら、もうエンドロールが始まって観客が席を立つ頃なのだろう、いまは。

「あなたは？」不意に、麻理が訊いた。「あなたはお義父さんに最後にしてあげたいことって、ないの？」

僕は黙って首をかしげる。麻理もつづけてなにか言いかけたが、まあいいよね、というふうに黙り込んだ。

2

職員会議の議題がすべて終わったあと、会議の途中でかかってきた電話に出ていた教頭が、こわばった顔で席に戻ってきた。

「こすもす斎場から、苦情の電話です」

同僚の視線が、いっせいに僕に注がれる。いいかげんにしてくれ、という険しい視線ばかりだった。

「児童の名前は確認できませんでしたが、職員の話だと、おそらく……また、田上康《たがみやす》弘《ひろ》だと思います」

五年一組、出席番号十三番の田上康弘――僕が担任する児童。

学区内にある市営斎場に、しょっちゅう入り込む。なにかいたずらをするというわけではないのだが、見ず知らずのひとの告別式の最中に、ランドセルを背負った小学生がうろちょろしているのは、誰が見ても薄気味悪い。

「今日はホールのほうには入らなかったみたいなんですが、ちょうど、その、火葬場で焼いてるときだったんですよ。田上は外のベンチに座って、こう、じーっとね、煙突を見てたらしいんです」

教頭が身振りを交えて言うと、ため息交じりの苦笑いの声があちこちから漏れた。

「問題は、斎場に無断で入り込んでるっていうことじゃないですよね」

ベテランの橋本先生が、話をまとめるように言った。「そういうことに興味を持ってることが問題なんですよ」と部屋中を見渡してつづけ、みんなの同意を得たのを確認してから、僕に向き直る。

「峰岸先生、お願いしますよ、命の重さをきちんと教えてやってもらわないと……怖いのは、そういうのが他の子どもにも広がってしまうことなんです」

すでに、それは――始まっている。

二学期の初めに転校してきた康弘は、自己紹介で「いまいちばん興味があるのは、死体です」と言った。タチの悪い冗談だと思っていたら、本気だった。学校のパソコンルームで総合学習の調べものをしているとき、康弘のまわりに急にひとだかりができた。インターネットの死体サイトを覗《のぞ》いていたのだった。別の日の総合学習では、動物虐待《ぎゃくたい》のサイトもみんなに教えた。目玉をえぐられた猫や腹をナイフで切り裂かれたカエルの画像を、得意そうに見せていた。

もちろん、二度ともすぐに注意した。閲覧ソフトにも厳しい規制をかけた。だが、けろっとした顔の康弘に「なんで死体を見ちゃいけないんですか?」と訊かれると、「なんでもだ」としか答えられなかった。

教員生活は十八年になる。中堅からベテランにさしかかるあたりだ。「問題児童」と呼ばれる子どもにも何度も出会ってきて、それなりに指導のコツもつかんできたつもりだった。

ところが、康弘は、いままで会ってきたどの子どもとも違っていた。勉強はよくできる。授業中の態度もまじめだ。欠席や遅刻もないし、誰かに暴力をふるったり、いじめを仕掛けたり、というわけでもない。ただ、死体に興味がある——というだけなのだ。

「先生、いろんなことに興味を持ちなさいって言ってるでしょ。じゃあ、死体だっていいじゃん」

真顔で言う康弘に返す言葉を、僕は持っていない。モラルだの常識だのを持ち出しても意味はない。問答無用で「とにかくやめろ」と言ったところで……なんの解決にもならないだろう。

なによりショックだったのは、康弘に影響されて、何人もの同級生が、死体や、死そのものに興味を持ち始めたことだった。

康弘にアドレスを教わり、家でこっそり死体サイトを見ている子がいる。康弘と二人で公園の花壇《かだん》に入り込み、花を端からむしっていった子もいる。低学年の頃から集めていたソフトビニール人形の首をカッターナイフで切り落とした子は、それを母親に見咎《みとが》められると、「じゃあ自殺しちゃおうかなあ」と笑いながら脅した。登校中に車に轢《ひ》かれた猫の死体を見かけた子は、興奮しきった様子で腹から飛び出た内臓の色や形をみんなに伝え、最後は鼻血を出して保健室に運ばれた。

おとなしい子が多くて指導しやすかった五年一組は、雰囲気が少しずつ変わっていった。落ち着きをなくした子どもが増え、授業中に僕を見るまなざしが全体的に暗くなった。

本を何冊も読んだが、正解は見つけられなかった。「世間を震撼《しんかん》させた少年犯罪の容疑者の多くは、その前兆として、死への異常なまでの興味を示している」と書いた評論家は、その兆候が出たらすぐに専門家に診せるべきだ、と説く。その一方で、別の評論家は「少年犯罪が多発するのは、日常生活が死への興味をタブー視しているからだ」と言い、ある種の免疫《めんえき》をつける意味でも、子どもが死に対して無邪気な好奇心を抱くのはむしろ歓迎すべきことなのだ、と力説する。

どちらの考え方に与《くみ》すればいいのか、僕には決められない。

「なあ、田上くん。斎場に一人で行って、怖くないのか？　怖いだろ、やっぱり」

つまらないことしか訊けない。「なんで？」と意外そうに訊き返されて、「だって……」と言いかけたきり絶句する、そんなぶざまなやり取りしかできない。

「しっかり指導をお願いしますよ、峰岸先生」

教頭は他の教師がひきあげたあとも僕を会議室に残し、しつこく念を押して言った。

「とにかくですね、いまはちょっと変な行動をとってるっていうレベルでも、これが、その、エスカレートして、動物虐待とか、そういうことになっちゃうと……」

「わかってます」

「他の児童に対する影響もありますからね」

「ええ、わかってます」

「両親とは話してるんですか？　こういう問題は学校だけで背負えるものじゃないですから、そこのところは向こうにもきっちりわかってもらわないと、なにかあったとき、結局最後は学校のせいにされちゃうんですから」

「わかってます、それは、ほんとに」

康弘の家庭は――こんな表現をつかいたくないが、ごくふつうだった。サラリーマンの父親と、週に三日パートに出ている母親と、二年生の弟。斎場に出入りしている件を伝えると、両親ともに驚いた様子で、恐縮しながら「厳しく言って聞かせます」と言った。パソコンの閲覧ソフトにも規制をかけることを約束してくれた。だが、両親も僕と同じように康弘に「なんでいけないの？」と訊かれたときに答える言葉は持っていないはずだし、ホームページは、インターネットカフェでもマンガ喫茶でも塾の自習室でも簡単に見ることができるのだ。

教頭の小言からようやく解放されて、会議室を出るのと同時に、携帯電話の電源を入れた。

不在着信、一件――自宅から。

メッセージは留守番電話に録音されていた。

「お義父《とう》さんの具合、あまり良くないの。べつにいますぐどうこうっていう感じでもないんだけど、今日は早めに帰ってきたほうがいいと思う」

メッセージの消去は、プッシュボタンの3。親指に力を込めて、押した。

家に帰ると、父の部屋には在宅用の酸素吸入器が運び込まれていた。容態が悪化したのは、ガスや水が腹に溜《た》まったのが原因だった。ガンに冒された腸の働きが急に衰えてきたのだ。

父は眠っていた。ベッドのそばに座り込んでいた母が振り向いて、「今夜はだいじょうぶよ」と面やつれした顔で笑った。夕方には血圧も体温も低下していたが、いまは持ち直している。

寝顔を立ったまま見つめた。落ちくぼんだ目のまわりにできた影は、日に日に深くなっていく。

「お父さん、寝てるの？」

声をかけたが、反応はなかった。

母は父の手の甲を軽くさすって、「今夜から、お父さんの隣で寝るから」と言った。いままでも、母と僕と麻理は順番を決めて、一晩のうちに何度も父の部屋を覗いていた。だが、もう、その段階は過ぎてしまった。二十四時間つきっきりの看護が始まる。

二階に上がり、麻理に「あのにおい、なんだ？」と訊いた。父の部屋に入ってすぐ、ハッカのにおいがしたのだった。

「湿布してるの。メンタ湿布っていうんだけど、ハッカ油とお湯でタオルを濡《ぬ》らして、おなかにあてるの。そうしたらおなかが温まって、腸の動きが活発になるんだって」

「……医者が、やれって言ったのか？」

「うん」

「なんだ、それ、ひとをなめてないか？」

声を荒らげてしまった。子どもだましのような治療法に、むしょうに腹が立った。医者が、アロエさえあれば薬は要らないと思っている母が勝手にやったのならともかく、医者が、こんなことしかできないのか――？

「できないのよ」

麻理は諭《さと》すように言った。「もう、なにもできないの……」と、声が震えた。

父の体は、もう強い治療には耐えられない。カテーテルで心臓近くの静脈に点滴する高カロリーの輸液も、今後は量を減らさなければならない。命をつなぐはずの輸液が心臓の負担になってしまうところまで、父は衰弱している。

在宅看護を始めて二週間。最期《さいご》の時は、もう、すぐ目の前まで来ているのだろう。

庭の梅はまだようやくつぼみがふくらみかけた頃――桜までは、長すぎる。

僕はソファーに座り、背もたれに体を深く預けて、天井のライトをぼんやり見つめて言った。

「在宅看護って、肝心なときに困るな」

「なにが？」

「葬式の準備が全然できないだろ」

がんばって冗談を言ったのに、麻理は笑ってくれなかった。


父の容態は一晩でなんとか持ち直した。だが、それは階段の踊り場で一息ついたというだけのことで、父の命が階段を上って引き返すことは、もう、ない。

僕は親しい同僚の何人かに「そろそろ、みたいだから」と伝えた。忌引きで学校を休む間の仕事の割り振りは、すでに決めてある。「峰岸先生のところは準備ができるぶんいいですよ。ウチの父なんか脳溢血《のういっけつ》で一瞬でしょ、ちょうど修学旅行の前だったんで大変だったんですから」と苦笑する同僚もいれば、「いやあ、長患《ながわずら》いもキツいですよ。ウチは、母が最後は惚《ぼ》けちゃいましたから。あと二、三カ月長引いたら、こっちのほうが倒れてたかもしれません」としみじみと言う同僚もいる。それを思うと、父は子どもにとって最も理想的な死に方をしてくれているのだろうか。

学校から帰ると、父のベッドの枕元《まくらもと》に古い卒業アルバムが何冊も置いてあった。

「昼間、麻理さんと二人で見せてあげたの、お父さんに」と母がお茶をいれながら笑う。

「お父さんが読みたいって言ったの？」

「そう。本棚から持ってこいって言うんだけど、もうね、お父さん、手の力がなくなって、アルバム持てなくなっちゃったから……」

ぼんやりと天井を見つめていた父は、僕が顔を覗き込んで「ただいま」と声をかけると、痩《や》せた頰をわずかにゆるめた。

「アルバム、見てたの」

ああ、と父は喉《のど》を鳴らす。枕元のアルバムは、どれも昭和四十年代から五十年代にかけて——父が、いまの僕と同じぐらいの歳《とし》の頃のものだった。

「懐《なつ》かしかった？」と訊《き》くと、父はまた頰をゆるめ、かすれた声で「あまり、思い出せん」と言った。それはそうだろうな、と思う。父は生徒の一人一人と向き合って付き合う教師ではなかった。生徒はあくまでも教師に従うべき未完成な人間で、そんな彼らを正しく導いていくのが教師の仕事で、だからいま、父はひとりぼっちで人生を閉じようとしている。

「みんなに会いたい？」

自分の言葉に、ひやりとした。「おとなになったみんなに会いたくない？」とつづけると、冷たいものが背中を滑り落ちた。父は頰をゆるめたまま、なにも答えない。代わりに、母が「光一、お茶入ったよ」とうわずった声で言った。

「寂しくない？　お父さん」

母が「光一」と割って入ったが、かまわず、つづけた。

「ねえ、お父さん、会いたいひとがいるんなら教えて。お見舞いに来てもらうから。約束する。そのひとに来てもらうから、教えてほしいんだ」

父は小さく首を横に振った。あきらめている、というより、教え子が誰も訪ねてこない寂しさをおだやかに受け容《い》れている、そんな微笑《ほほえ》みが浮かぶ。

僕はため息をつき、ベッドの横に座り込んだ。目の高さが父の横顔と揃《そろ》う。父は僕を目で追うことはなく、また天井を見つめていた。

「じゃあ、お父さん……僕のクラスの子どもたちに会ってみる？」

今度は、自分の言葉に胸が締めつけられる。言ってはならない言葉を言おうとしている。自分でもわかる。それでも、僕はつづけて言った。

「見せてやってほしいんだ、お父さんの、いまの、こうやって年を取って、ずっと一所懸命働いてきたあとに、最後に自分の家で……」

母に頬を打たれた。

倒れ込むほどの強さはなかったが、頬が甲高く鳴る平手打ちだった。

「光一……お父さんに謝りなさい……謝って、二階に上がりなさい……」

母は声を震わせて言った。その震えが肩に伝わり、瞼《まぶた》にも伝わって、涙がぽろぽろと頬に落ちた。僕は目を伏せる。打たれた頬が熱い。痛さより熱さのほうに、僕はこの二人の子どもなんだとあらためて思い知った。

目を伏せたまま、父に向き直った。お父さん、ごめん——と言いかけたとき、父の顎《あご》が小さく動くのが見えた。

み、せ、て、や、れ。

父は息苦しそうに肩を上下させながら、けれど確かに、そう言った。

3

教頭は最初、職員室の中にある自分の席で用件を切り出そうとしたが、「ゆっくり話せるほうがいいですね」と会議室に僕を連れていった。テーブルに向き合って座ると、まず「お父さんの具合、いかがです？」と訊かれた。呼び出された理由は、それでわかった。

「ぼちぼちですね。もうだいぶ弱ってるんですけど、それなりに安定して……」

そうですか、とうなずいた教頭は、僕から目をそらして「五年一組の子どもの保護者から手紙が来ました」と言った。

誰ですか――と訊くのは無駄だ。学校へのクレームは、八割がた匿名《とくめい》で寄せられる。そして、その半分近くは、学校を通り越して市の教育委員会へ直接、だ。

「お父さんの介護を、子どもたちにさせてるんですってね」

予想どおりだった。咎《とが》めるような教頭の口ぶりも、覚悟していたことだ。

「希望者だけの課外活動です」

「いや、それは当然というか、こんなこと強制しちゃまずいでしょう……何人いたんですか、希望者は」

「最初は二十人ほどでした」

クラスの半分以上が手を挙《あ》げた。

「そんなに、ですか」

「ボランティアに興味を持ってる女子も多いですし、介護の手伝いっていうより、お見舞いの気分で『行ってみようか』って感じだったんですよ」

迷いやためらいがまったくなかった、と言えば嘘《うそ》になる。非難を浴びるだろうとも思っていた。たとえば、和樹が小学五年生のときの担任教師が同じことを言いだしたら、僕はおそらく「ちょっと待ってくださいよ」と先生を問いただしただろう。

「命の重さを伝える教育、ですか」

教頭の声に微妙なトゲを感じた。「でも、末期ガンの患者さんを子どもに見せることが教育になるんですかねえ……」と大仰に首をひねる。

僕にだって自信や確信はなかった。

「どうでした、実際にやってみて、子どもたちの反応は。命の重さとか尊さとか、ちゃんと伝わってたでしょうかねえ」

正直に言って――だめだった。

希望者を三人グループに分けて、一日に一組ずつ、昨日でちょうど一巡した。ほとんど全員、部屋に入ると足がすくんで動けなくなった。ベッドに横たわる父を遠巻きに眺め、「おまえ行けよ」「やだよ、俺」と最前列を押しつけあって、三分もしないうちに「もう帰っていいですか？」と僕に訊く。

死の怖さを実感したのなら、まだよかった。だが、家の外に出たあと、男子の一人に「怖かったのか？」と訊くと、その子は「っていうか、なんか気色悪ーい」と答えたのだ。部屋にいる間ずっと口で息をしていた子もいた。女子だ。二学期のクラス委員もつとめた、まじめな子だ。風邪《かぜ》をひいて鼻が詰まっていたのだろうかと思っていたら、外に出るなり友だちに自分のオーバーの袖《そで》のにおいを嗅《か》がせて、「だいじょうぶ？　臭くない？　においも、染《し》みてない？」と不安そうに訊いていたのだった。

帰り際《ぎわ》、僕は全員に「また来るか？」と尋ねた。半分は「もういいです」と顔の前で手を横に振り、残り半分は「お母さんに訊いてみます」と言った。順番がおしまいのほうのグループになると、先に出かけた友だちから話を聞いたのだろう、当日に「やっぱり、いいです」と断ってくる子も出てきた。

「また来るか？」と訊かれて、「来てもいいの？」と声をはずませたのは、たった一人――康弘だけだった。父のベッドのそばまで近寄ったのも康弘しかいなかった。

教頭は、保護者からの手紙の内容を、差出人を「Aさん」として教えてくれた。

「Aさんのお子さん、その日、晩ごはん食べられなかったそうです、ショックを受けて」

「……そうですか」

「子どもにひとが死ぬところを見せるなんて、非常識じゃないか、って。もっと、命の素晴らしさや、生きていることの希望っていうんですか、そういうのを教えてくれないと困る、って」

「死ぬところなんか見せてないですよ、まだ親父《おやじ》は生きてますから」

せいいっぱいの皮肉を返しながら、肩から力が抜けていくのを感じた。

命の素晴らしさ？　生きていることの希望？　全身をガンに冒された父は、住み慣れた我が家で最期の時を静かに迎えようとしている――そこには、素晴らしさも希望もないというのか？

「それでね、Aさんが心配なさってるんですけど、お父さんの病気はガンですよね、ほら、C型肝炎とか、そういう移る病気じゃないですよね？」

どういう意味ですか――と訊き返す前に、教頭は「あと、もう一つ」とつづけた。

「念のためにうかがいますけど、介護の人手が足りないから、子どもたちに手伝わせようとか、そんなことじゃないですよね？」

背中を、冷たいものが滑り落ちた。僕の顔色が変わったのを察したのか、教頭はあわてて「いや、私は信じてますけどね、峰岸先生のこと」と言って、「でも、まあ、うがった見方をするひとはどこにでもいますから……」とため息をついた。

手紙に書いてあった内容は、そこまで、だった。

「一部の声とはいっても、こうして手紙まで来た以上、知らん顔はできませんから」

教頭は「善処してくださいますね？」と念を押した。僕はうなずいて、席を立つ。

ドアのノブに手をかけたとき、椅子《いす》に座ったままの教頭に呼び止められた。

「ちょっと私の個人的な意見を言っていいですか」

「……ええ」

「Aさんとは違う理由ですが、私も峰岸先生のやったことには反対です。教頭としてというより、あなたよりお父さんのほうに歳が近い男としてね」

僕はもとの席に座り直した。以前からウマの合わない相手だったが、こんな口調で話しかけられたのは初めてだった。

「お父さんの尊厳について考えたことありますか」

ふだんのくどくどした小言を言うときとは違う、感情を必死にこらえた表情をしていた。

「お父さんは納得してるんですか？」

「してる、と思います」

「思います、って……」

「一日中、ほとんど寝てるんです。声をかければ返事はするんですけど、自分からは、もう、なにも言わなくなってます」

その答えを聞いて、教頭はカッとしたように声を高くした。

「ひどいと思いませんか、それ。いくら子どもでも、親をさらし者にする権利はないんじゃないですか？　ひとの生き死には、教材じゃありませんよ」

憤然とした勢いで言って、怒気をはらんだ息をつき、「命の重さや尊さをわかってないのは、子どもじゃなくて、先生のほうじゃないんですか」と付け加える。

そうかもしれない。きっと、教頭の言うことのほうが正しいのだろう。

それでも、僕は言った。

「親父は、学校の先生だったんです」

「ええ、知ってますよ」

「いい教師だったかどうかは知らないけど、教師っていう仕事が好きだったんです、親父はずっと」

「……それが、なにか？」

「最後に教えさせてやりたいんです」

「五年一組の子どもたちにですか？」

僕は黙ってうなずいた。教頭はなにか言い返しかけたが、それを呑《の》み込んで、代わりに「とにかく善処してください、いいですね」と言い捨てて部屋を出ていった。

六時間目のあとの『終わりの会』で、課外活動の中止を発表すると、子どもたちは一様にほっとした顔になった。

「お父さんの具合、悪くなったから？」「死んじゃってたりして」「ちょっとぉ、そんなこと言うもんじゃないよ」「じゃあ、今日暇になったじゃん、ウチに遊びに来る？」「ベイブレードしようぜ」「なに言ってんの、あんたたち掃除当番じゃん」「シカトーっ」「あ、男子、サイテー。先生、サボりでーす」……教室は、ふだんどおりの無邪気なざわめきに包まれた。

教頭と話しているときには反発を消すことはできなかったが、いまはもう、やっぱり無理だったんだよな、と認める。

小学五年生――十歳から、十一歳。自分の「生」をようやく実感しはじめたばかりの子どもに「死」を感じ取れというのが、そもそも無理な話だったのだ。ほんのわずか垣間見《かいまみ》ただけの、死に臨《のぞ》むひとの姿は、子どもたちの記憶にどんなふうに残っていくのだろう。アニメで観《み》たバトルシーンのラストとたいして変わらない……のかもしれない。

「はい、じゃあ『終わりの会』おしまーい、明日は体育館シューズ忘れるなよ」

声を張り上げてざわめきを静め、日直の号令で挨拶《あいさつ》を終えて、教室を出た。

「先生」

後ろから声をかけられた。

振り向く前に、声の主はわかっていた。

「先生、さっきのこと……マジ？」と康弘は不服そうに言った。

僕は「おとなに『マジ』なんて言っちゃだめだぞ」と軽く注意してから、「課外活動はもう終わりだ」と、あらためて、きっぱりと告げた。

康弘は唇をとがらせた。ほんとうなら、今日が二回目になるはずだった。楽しみにしていたのだろう。無理もない。インターネットの画像でしか知らない「死」が、あの部屋にはある。そう簡単にはお目にかかれないはずの、死体になりかけた生身の体――こういうの、おまえたち、「レアもの」っていうんだっけ？

「一回見たから、気がすんだだろ？」と僕は言った。嫌みな言い方になった。本音の言い方でも、あった。

康弘は唇をとがらせたまま、上目づかいに僕を見る。

「どんな気がした？　先生のお父さんを見て」

「どんな、って……よくわかんないけど」

「もうすぐ死んじゃうんだ、あのおじいちゃんは。死にそうな顔してただろ？」

康弘は目をそらす。

「六十七歳だよ。六十七年生きてきて、もうすぐ死んじゃうんだ。田上くんは十歳か？　もう十一歳になったんだっけ？　六十七年も生きるって、まだ想像もできないだろ」

　僕は康弘の肩を軽く叩《たた》いて、「死体は抜け殻《がら》だよ、焼かれて灰になって、おしまいだ」と笑った。

「死に興味を持つのもいいけど、その前に、生きることに興味を持ってみろよ」――言ったあと、匿名の親の手紙と同じじゃないか、と気づいた。康弘をその場に残して歩きだす足取りは、だから、少し速くなってしまった。


　職員室で事務の仕事に取りかかった。残業になりそうだった。課外活動をしていた一週間は子どもたちの下校に合わせて学校を出ていたので、やらなければならない仕事は山積みだった。

　二月も下旬に入った。これから三月いっぱいまでは、卒業式をはじめとする年度末の行事に新年度の準備が重なって、体が二つ欲しくなるほど忙しい。

　ノートパソコンのキーを叩き、ファイルを繰りながら、親父も昔はそうだったよな、と思いだす。高校には入試という大きな行事もある。卒業や進級の判定もしなければならない。父は毎年この時期になると帰りが遅かった。目に見えて機嫌が悪くなり、ぴりぴりして、ちょっとしたことですぐに母や僕に当たり散らした。

父が家に持ち帰った仕事をしている間は、うるさくて気が散るから、とテレビを観せてもらえない。夕食中も、父は一人で考えごとにふけり、不意に舌打ちしたり、いらだたしげなため息をついたりして、母も僕も「醤油《しょうゆ》取って」の一言さえ口に出せなかった。

そんな時期、母はよく言っていた。

「卒業式までの辛抱だから」

実際、父の忙しさやいらだちは三月半ば過ぎの卒業式でピークに達して、式が終わると、憑《つ》き物が落ちたように表情がおだやかになる。

「今年も、いい卒業式だった」と嚙《か》みしめるように言って、晩酌の杯を重ねる。

父にとっての「いい卒業式」は、厳粛な雰囲気でなければいけない。秩序を乱す者がいてはならない。なにより、卒業生の門出を祝う教師の思いとお世話になった教師に感謝する卒業生の思いとが一つになってこその「いい卒業式」なのだ。

晩酌の酔いがまわると、父はよく歌を口ずさんだ。『あおげば尊し』――一節歌っては、「今年の『あおげば尊し』は声が揃《そろ》ってて、よかった」「去年の卒業生のほうが上手《うま》かったかな」とひとりごちるように言って、また歌い出しのフレーズに戻るのが常だった。

あおげばとうとし、わが師の恩――。

中学生の頃、「先生に感謝する歌を生徒に無理やり歌わせるのって、おかしくない？」と言うと、本気で叱《しか》られた。定年退職したあとも、生徒が学校の押しつけの卒業式を拒否して生徒会主導の式を自主的に開いた、というようなニュースを見聞きすると、「スジが違う」だの「甘やかしすぎだ」だのと、ぶつぶつ言っていた。

あおげばとうとし、わが師の恩――。

仕事の手を休め、喉《のど》の奥で歌詞とメロディーをなぞって、なんだかなあ、と首をかしげる。僕には、この歌を受け止める自信がない。子どもたちが歌うと、それが心を込めた歌い方であればあるほど、気恥ずかしさといたたまれなさに襲われ、しまいには自己嫌悪《けんお》にさえ陥ってしまいそうだ。

あおげばとうとし、わが師の恩――。

父は胸を張って聴いていたはずだ。自分こそはこの歌に価《あたい》する教師だと、迷いもてらいもなく思っていたはずだ。式が終わったあとは卒業生の誰からも顧みられず、同窓会の案内状もほとんど受け取ることのなかった日々をどう思っていたのかは、知らない。

父の葬儀には、県や市の教育関係者がたくさん参列するだろう。花環《はなわ》もたくさん並ぶだろう。けれど、昔の教え子が誰も来ない葬儀は、きっと寒々しいほど寂しいものだろう。

「どうしました？」

声をかけられて、我に返った。五年二組の担任の富岡先生が、隣の席からこっちを覗《のぞ》き込んで笑う。

「さっきから、シブい歌、歌ってますけど」

「……聞こえてた？」

富岡先生はまだ三十そこその女性教諭だ。先生の明るい性格そのままに、五年二組は、よく言えば元気がよく、悪く言えば騒々しくて落ち着きがない。

「富岡さんは子どもの頃、この歌、卒業式で歌ったの？」

「中学のときに、ちらっと……歌ったんじゃなくて、入場するときのBGMだったかなあ。高校のときには歌わなかったんですよ、ウチの学校、わりと民主的だったんで」

「そうか……」

「でも、それ、ふつうだと思いますよ。『蛍の光』はともかく『あおげば尊し』を歌わせる学校って、いまは少ないんじゃないですか？」

　確かに、この学校でも『あおげば尊し』は歌わない。式のときに歌うのは、校歌と、『蛍の光』と、六年間の思い出を歌詞に折り込んだ合唱曲と……『君が代』を斉唱にするか曲だけ流すか最初からやめてしまうかで、今年も三月の職員会議は紛糾するだろう。

「富岡さんは、もし子どもたちが『あおげば尊し』を歌ったら、どう？」

「って？　どういうふうに『どう？』なんですか？」

「だから……照れくさいとか……」

「あ、でも、わたし、あの歌の歌詞よく知らないんですよ」

　あっけらかんと言って、笑う。しょうがないなあ、と苦笑いを返して、なにげなく戸口のほうに目をやると――ひとの出入りでちょうど引き戸を開け放した戸口に、康弘が立っていることに気づいた。

　こっちを見ている。目が合うと、遠慮がちに会釈《えしゃく》をした。

　入ってこいよ、と手招きしかけて、いや、やっぱりいいや、と席を立った。

　廊下に出て、職員室に出入りするひとたちの視線から康弘をかばって、少し離れたところに連れて行った。

あらためて向き合うと、康弘は今日の僕の帰宅する時間を尋ねてきた。

「七時か八時ぐらいになっちゃうかな」

「……そう」

「どうしたんだ？」

康弘はしばらくうつむいて、もじもじしていたが、意を決したように顔を上げて言った。

「一人で行くのって、だめ、だよね……」

康弘から目をそらしてやった。父がしょっちゅう言う「相手の目を見て話せ」というのは、ほんとうはすごく難しいことだと思うから。

「行きたいのか？」

そっぽを向いて訊《き》くと、声は出なかったが、うなずいた。

「一回家に帰ってから、校門で集合にするか。じゃあ……先生も四時頃に校門に行くから」

「いいの？」

教頭に言われた言葉が、頭の隅をよぎる。ちくちくと、トゲを刺す。

「うがいしてから来るんだぞ」

振り向いて声をかけたときには、もう康弘は廊下を駆けだしていた。

学校から我が家までは、バスで十五分。混み合ったバスの中では、僕も康弘もずっと黙っていた。康弘は学校にいたときと同じ服装だった。ランドセルの代わりに肩に掛けたショルダーバッグには、なにが入っているのだろう、ストラップがいかにも重たげに肩に食い込んでいる。

バス停からは、裏通りに入って三分足らず。バスを降りて歩きだした康弘に「楽しみか？」と訊くと、僕をちらりと見て首をかしげ、ちょっと困ったふうに笑った。

「まだ、インターネットで死体サイトなんか覗いてるのか？」

「……たまに」

「先生のお父さんを見て、どう思った？　死体と比べて、どこか違ってるところあったか？」

「だって……死体は死んでるけど……」

「まだ生きてるよな」

「うん」

「でも、もうすぐ死ぬんだ」

「……うん」

「死ぬってどういうことなんだろうな。先生にも全然わかんないよ」

死ぬことが、わからない。親に死なれるということも、わからない。それを言うなら、自分が年老いていくことも、息子がおとなになっていくことも……いま、中年と呼ばれる日々を生きていることさえも、ほんとうは、なにもわかっていない。すべてが初めての体験で、すべてが二度とは繰り返せない体験で、そんなふうに思うと、「おとな」だの「子ども」だのって、いったいなんなんだろう、という気もしてくる。

康弘はバッグを右肩から左肩に掛け直した。空いた右肩をぐるぐる回し、ふーう、と息をつく。

「重そうだけど、なにが入ってるんだ？」

「……本」

「なんの本？　ちょっと見せてくれよ」

すぐには応《こた》えてくれなかったが、家の玄関が見えてくると、康弘は足を止め、バッグのファスナーに手を掛けて、「怒らない？」と訊いた。「先生、絶対に怒ったりしない？」

「ああ、怒らないよ」

「絶対の絶対に？」

「絶対の絶対に、怒らない。だから見せてみろよ」

ファスナーが開く。分厚い『家庭の医学』が、あった。市立図書館のシールが貼《は》られた介護のハンドブックと、ガンの闘病記と、冠婚葬祭入門も、あった。

「冠婚葬祭の本は、まだ早いよ」と笑ってやった。

子どもとの付き合いは難しい。思っているよりずっとおとなで、ずっと幼く、ずっと優しく、ずっと残酷で、気づかいに胸が痛くなるときもあるし、ちょっとは常識を考えろと言いたくなるときもあるし、拍子抜けするほど屈託がないかと思えば、一瞬あとにはぞっとするほど暗い屈折を覗かせる。正解がない。正体がわからない。輪郭が定められない。だから僕は、給料は安くても教師という仕事が大好きで……と言うと、格好のつけすぎだろうか？

康弘がバッグのファスナーを閉じるのを待って、僕は言った。

「今日、ちょっと手伝ってみるか？　難しいことはやらせられないけど、体を拭《ふ》くとか、そういうの……やってみるか？」

康弘は、こくん、とうなずいた。

4

父の部屋のカレンダーが一枚めくられた。花をテーマにしたカレンダーの、三月の写真は、富士山を背にした満開の桃畑だった。先回りしてめくってみた四月の写真は——桜。古い石垣に一本だけの桜だ。

カレンダーを戻し、「お父さん、今日から三月だからね」と声をかけた。返事はない。薄目を開けていても、意識はほとんど眠りの中に沈み込んでいる。傾眠というのだと、訪問医療の医師が教えてくれた。

「今日は土曜日だよ。けっこう寒いけど、いい天気だから」

話すことができなくなり、視力を失ったあとも、聴力は最後の最後まで残っているものらしい。「たとえ返事や反応がなくても、とにかくたくさん話しかけてあげてください」と医師に言われている。「ひとの声ほど心を癒《いや》すものはないんです」とも。

「お母さんはさ、今日、お休みなんだ。麻理と和樹と三人でデパートに行ってる。ずーっと家にこもってるんだから、たまにはいいよね」

嘘《うそ》をついた。母は、父の故郷の静岡まで日帰りで出かけた。祖父母の代までの墓を東京に移す件を、寺の住職や親戚《しんせき》と相談してくる。麻理と和樹の向かった先はデパートだったが、買う物は、喪服と、客用の座布団《ざぶとん》。終わりの日は、確実に近づいている。

「今日は僕が付き添いで……あと、もうすぐ康弘も来るから」

カーテンをレースにして、部屋に陽を入れた。

「カテーテルに点滴を刺すところ、見せてやろうと思ってるんだ」

窓も開けて空気を入れ換えたいが、今日は外が寒すぎる。体力を失って免疫力《めんえきりょく》が極端に低下している父にとって、最も怖いのは、風邪をひくことだ。風邪から肺炎を起こし、尿毒症に陥って……そうなると、もう助からない。

「お父さん、おしっこ、どう？　ちょっと見ていいかな」

掛け布団の下から手を差し入れて、尿管とつないだ袋を探った。「だめか……」とため息交じりにつぶやいて、手をひっこめる。この数日、尿の出具合が悪くなった。

ゆうべは利尿剤を使ったのに、半日以上たったいまも、尿は出ていない。

やれやれ、と籐椅子《とういす》に腰かけて、父の顔を見た。無精髭《ぶしようひげ》が頬を覆《おお》う。ほとんどの髭が白。家に帰ってきたばかりの頃より、伸びるペースが落ちたような気がする。

「お父さん」

返事はない。

「ねえ、お父さん……」

息を吸うときに、鼻の奥から濁った音が聞こえるだけだ。

「お父さん……」

言葉を覚えた二歳か三歳の頃から、僕は何度この言葉を口にしてきただろう。父を呼ぶ機会は、あと何度残されているのだろう。

在宅看護を始めてから、見舞客は途絶えた。義理だけで顔を出そうとする相手を断っていくと、訪ねてくるひとは誰もいなくなった。

「お父さん、覚えてる？　僕が中学生の頃のこと……卒業式の前にさ、生徒の親がいきなりウチに来たじゃない。田中さんだっけ」

卒業式を目前に控えて、酒だか煙草《たばこ》だかシンナーだかで警察に捕まった生徒の父親だった。生活指導部の主任だった父は、退学処分を科した。田中さんはそれをなんとか撤回してほしいと頼みに来たのだった。

父は田中さんを家の中に入れなかった。差し出す手土産も受け取らず、弁解や謝罪や懇願の言葉をすべて、玄関の戸口に立ちはだかって、はねのけた。田中さんは「お願いします！」とその場で土下座もしたが、父は黙ってドアを閉めた。とりつく島もない、冷たい切り捨て方だった。

ドアを閉ざされたあとも、田中さんは「お願いします、お願いします、この通りです」と涙声で訴えていた。

僕は二階の自分の部屋の窓から、土下座をつづける田中さんの背中をじっと見つめた。胸が絞られるような気分だった。同情ではない。退学になるようなことをしたのだからしかたない、と理屈ではわかっていたし、本人ならともかく親が土下座までするこ とはないだろう、とも思っていた。滑稽《こっけい》で、ぶざまで、哀れな姿だった。だが、そんな田中さんに言葉すらかけない父のことが、子どもとして、むしょうに寂しかった。父は厳しい。そして冷たい。自分の親が冷たい人間なんだと嚙《か》みしめる息子の気持ちが、父にはわかるだろうか？

しばらくたって、田中さんはようやくあきらめて立ち上がった。がっくりと肩を落として門の外に出て、手土産の包みを道路に叩《たた》きつけて、「くそったれ！」と我が家に向かって吠《ほ》えた。

いまの僕なら——子どもを持つ親になったいまなら、田中さんを滑稽だとは思わない。田中さんはぶざまでも哀れでもない。あのひとをあんなにもぶざまで哀れにしてしまったのは、土下座したことではなく、それを父が歯牙《しが》にもかけずに切り捨てたことだったのだと、いまなら、わかる。

「お父さん……誰かお見舞いに来てくれるといいのにね」

父はおそらく、死んだあとで勲何等だかの勲章を貰《もら》うだろう。県や市の教育委員会から功績を称《たた》える顕彰もされるだろう。

だが、教え子の誰からも「先生、ありがとうございました」とは言ってもらえないだろう。父のために『あおげば尊し』を歌ってくれるひとは、誰もいないだろう。

「ねえ、お父さん、『あおげば尊し』なんて生徒に無理やり歌わせちゃだめなんだよ、やっぱり……」

康弘は約束どおり、朝十時きっかりに玄関のチャイムを鳴らした。朝から夕方までいられるのが嬉《うれ》しいのか、はずんだ声で「おじゃましまーす」と言って家に上がった。平日も、毎日来ている。介護の手伝いといっても小学五年生の子どもにできることはほとんどないのだが、部屋の隅にちょこんと座って、眠りつづける父を、ただ黙って、飽きずに見つめる。
熱心――と呼んでいいのだろうか。死にそこまで深い興味を持つのは、やはり専門家に相談すべきことなのだろうか。答えがわからないまま、僕は毎日康弘を迎え、死に向かう父の姿をさらしている。

「先生、ベッド換えたの？」

　部屋に入るなり、康弘は言った。

「よく気がついたなあ。ゆうべウォーターベッドに交換したんだ」

「なんで？」

「床《とこ》ずれってわかるか？　ずーっとベッドに寝てるだろ、体を動かせないから、体重のかかる場所も変わらないんだ。そうすると、体の重みでその場所が圧迫されて、血が通わなくなって、細胞が死んじゃうんだ」

　死んじゃう――のところで、康弘の肩が小さく揺れた。

「おじいちゃん、床ずれになったの？」

「ああ、もう、お尻《しり》なんかぐじゅぐじゅになりかけてる。ウォーターベッドだと体重が分散されるから、ちょっとはましなんだ」

「ぐじゅぐじゅになって、腐っちゃうの？」

「ああ、そんな感じだな」

「腐って、死んじゃうの？」

　僕を見るまなざしが、まっすぐすぎる。子どもならではの無邪気な好奇心なのか、その奥に病んだものを孕《はら》んでいるのか、僕にはわからないのだ、ほんとうに。

問いとまなざしを一緒にかわして、部屋の戸口に置いてある除菌クリーナーのボトルを取った。ポンプを押して、消毒液を康弘に振りかける。康弘もそれ以上問いを重ねず、消毒液のついた手のひらを揉《も》み合わせた。

「点滴の刺し方、見せてやるから、こっちに来いよ」

「注射するの？」

「直接するわけじゃなくて、カテーテルに刺すんだけどな、これがけっこう難しいんだ」

手をしっかり消毒して、点滴のバッグに針を刺し、調節ポンプに管を通して、カテーテルのまわりを消毒してから、針を刺す。

康弘は僕の背中から父の顔を覗《のぞ》き込んで、「寝てるの？」と訊《き》いた。

「ああ……寝てる」

「痛かったり苦しかったりしてるんじゃないの？」

「点滴の薬の中には痛み止めも入ってるからな」

「モルヒネ？　だよね？」

よく勉強している。

「田上くんは、大きくなったら、なんになりたいんだ？」

康弘は即座に「お医者さん」と答えた。

「……なんで？」

「もう、ずーっと、そう決めてたから」

「医者は患者を死なせちゃいけないんだぞ。それでも医者がいいのか？」

冗談の口調で、ぞっとすることを言ってしまった。

康弘は、へへっ、と軽く笑った。

「べつに死体を見たいから医者になるんじゃないもん。俺、医者になって、ガンのひととかエイズのひととか心臓マヒのひととか、いっぱい治すんだもん」

すごいなあ、と笑い返すと、康弘は不服そうに「あ、信じてなかったでしょ、いま」と言った。「マジだよ、マジなんだからね」

「だけど……ひとが死ぬこととか、死体とかに興味があるんだろ？」

「だって不思議じゃん。ちょー不思議だと思うもん、なんで、ひとって死ぬわけ？　それ考えてると、なんか、胸、どきどきしちゃって」

「怖くないか？　そういうの考えてると」

「怖いっていうか……」

康弘は首をひねって、「よくわかんないけど、どきどきする」と言った。

「お父さんやお母さんが死んじゃったらどうしよう、とか考えるのか？」

「たまに」

「そういうときって、すごく怖くて、すごく悲しくならないか？」

「……なる」

少しほっとした。

昼食は焼きそばを作ることにした。キッチンで料理をする間、父のことは康弘に任せた。

「いいか、おじいちゃんの顔をよーく見ててくれよ。息の仕方とか、口の開き方とか、ちょっとでも変わったら、すぐに先生に教えるんだぞ。なにもしなくていいから、とにかく、おかしいと思ったら、すぐに呼ぶんだ、頼んだぞ」

父と康弘を二人きりにするのは初めてのことだ。さすがに康弘も緊張した様子で「はい……」とか細い声でうなずいた。

料理を口実に、二人きりで過ごさせて、それで終わりにするつもりだった。臨終にまで立ち会わせる気はない。もう康弘も気がすんだはずだ。死をどこまで実感できたかは知らないが、ひとはこんなふうに死の瞬間に向かって一歩ずつ進んでいくんだ、ということぐらいは感じ取ってくれただろう。

教科書には載っていない。塾でも教えてはくれない。本を読んでも表面しかなぞれない。

こういう授業だって、あっていいよね――部屋を出る前、父に無言で語りかけた。

父は、喉《のど》の奥から痰《たん》の詰まりかけた濁った音を出しながら息を継ぐだけだった。

キッチンで肉と野菜を炒《いた》めていると、ふと痰のことが気になった。さっきの音からすると、まだ呼吸が危うくなるほど詰まってはいないはずだが、万が一のことはあるし、康弘も心配するかもしれない。

ガスの火を止め、小走りに父の部屋に戻ってドアを開けた。

父の枕元《まくらもと》に立っていた康弘は、あわてて戸口を振り向き、手を後ろにまわした。

なにか持っていた。それを、とっさに隠した。

いや、その前に、ドアを開けた瞬間、康弘がなにかを両手で構えている姿を、僕は見た。ほんの一瞬だったが、確かに見た。

なにか――の正体も、僕の目はとらえていた。

「……隠したもの、見せろ」

康弘は後ろ手のまま、いやいやをするように首を激しく横に振った。

「カメラだろ」

答えは要らない。僕は部屋に踏み込み、デジタルカメラを持った康弘の腕を強くつかんだ。

康弘はカメラを両手と胸でかばい、うつむいて、背中を丸めた。

「親父《おやじ》を撮ったのか」

「……すみません」

「おまえは……親父の写真を……」

怒りで顎《あご》がひきつって、声が波打つように揺れる。

「どうするつもりだったんだ……なあ、掲示板かなにかに出すのか……死体サイトの……」

康弘はうつむいたまま、なにも応《こた》えない。僕も、それ以上は声にならない。頭の奥で火花がチカチカと散った。持って行き場のない感情が、僕の体の中ではじけつづける。

怒りよりも、むしろ悲しみのほうが強い。強いというより、深い。

「……親父は生きてるんだぞ、まだ」

声を絞り出すと、目から涙も出てきた。

涙に濡《ぬ》れた目を手の甲でこすって、「帰れ」と言った。身動きしない康弘に、もう一度——「出て行け！」と怒鳴りつけた。

玄関のドアを閉める音が聞こえると、僕はその場に膝《ひざ》からくずおれた。康弘はうつむいた顔を上げることなく出て行った。泣いていたようにも見えたが、もう、そんなことはどうでもいい。床にへたりこんだまま、父のベッドにすがりついた。

「……お父さん、ごめん……ほんとに、ごめんなさい……」

父の手をまさぐって、骨が浮いた手の甲を両手で包み込んだ。祈りを捧《ささ》げるような姿勢になった。

涙が頬を伝い落ちる。嗚咽《おえつ》が止まらない。

父は、ゆっくりと顔を横に——僕のほうに向けた。目を開けて、僕を見た。黄色い目脂《めやに》のこびりついた瞼《まぶた》を力なく合わせて、また目を開けて、僕をじっと見つめる。

い、い、か、ら。

口が動いた。息が漏れた。声にはならなかったが、確かに聞こえた。

父の目は、赤く潤《うる》みはじめた。

5

月曜日の『朝の会』が終わると、康弘が教卓に来た。土曜日と同じようにうつむいて、それでも懸命に勇気を振り絞っているのだろう、耳を真っ赤にして、僕の前に立つ。

謝る言葉を言いかけたのを制して、僕はつとめてやわらかい声で訊いた。

「写真撮ったの、あれが初めてだったんだろう？」

康弘は耳をさらに赤くして、「はい……」と消え入りそうな声で言った。

「どうするつもりだったんだ。やっぱり、インターネットに出そうと思ってたのか？」

かぶりを振る。

「じゃあ、なんで撮ったんだ？」

「……わかんない」

「だって自分でカメラ持ってきて、自分で構えて、撮ったんだろ？　わかんないなんて、おかしいじゃないか」

「おかしいけど……わかんない」

「なにかの記念か？」

また、かぶりを振った。

「誰かに見せようと思ったのか」

今度もまた、かぶりを振る。

「画像、消したんだよな？　まだ消してないんだったら、今日帰ったらすぐに消してくれ。友だちにも誰にも見せるなよ。そんなことしたら、先生、本気で怒るからな」

教室は授業前でざわついていたが、前のほうの席の何人かは僕たちの様子に気づき、どうしたの？　というふうに覗き込んできた。

「まあいいや」

僕は頬をゆるめた。「もういい、もう怒ってないから、二度とあんなことするなよ」とつづけ、「田上くんがやったことは、ほんとにすごく失礼で、残酷で、絶対にやっちゃいけないことなんだぞ」と締めくくった。

康弘は小さく頭を下げ、僕は「はい、もういいから」と授業の準備に取りかかる。

「あの……」

「うん？」

「今日……行っていい……ですか？」

ちらりと目をやると、上目づかいで僕を見ていた康弘は、すばやくうつむいた。

「だめだ」

出席簿を開きながら、言った。欠席は三人。風邪が流行《はや》っている。

康弘はまだその場にたたずんでいたが、僕は出席簿の新しいページに折り目をつけて、「席につきなさい」と言った。


昼休みのうちに片付かなかった仕事を抱えて、夕方の早い時間に家に帰った。

「今日、残業してくるんじゃなかったの？」

怪訝《けげん》そうな麻理に、誰か訪ねてこなかったか、と訊いた。

「誰かって？」

「ほら、ウチのクラスの田上とか……」

「ううん、来てないけど」

麻理はあっさりと答え、「さすがに、もう飽きちゃったんじゃない？」と笑った。

デジタルカメラのことは、母にも麻理にも話していない。康弘をかばったわけではなく、誰かに話すときに感情を抑える自信がなかった。

「どうせアレじゃない？　子どもなんだから、ひとが死ぬときって、酸素吸入とか心電図とか、集中治療室のイメージしかないと思うの。そういうイメージからすると、はっきり言って、けっこう現実って淡々としてるでしょ。退屈しちゃうと思うもん」

なんとなく、わかる。死というのは、遠くから想像しているほどにはドラマチックではない。特に入院ではなく在宅で看護をしていると、一つ屋根の下に死を迎えつつあるひとがいるというのが、日常になる。二十四時間態勢の看護といっても、かたときも目を離せないというわけではないし、それを求められても、無理だ。

「こっちもだいぶ慣れたもんな」

「まあね。在宅ケアの仕事、わたし、これからできるかもしれない」

「おふくろも、そんなこと言ってたよ」

「お義父《とう》さんだって慣れたんじゃない？　静かに最期《さいご》の時を待つ毎日ってのに」

かもな、と笑った。

僕たち家族は、毎日のあたりまえの暮らしの中に、父の死《し》を染みわたらせていったのだろう。覚悟というほどのくっきりとしたものではなく、ごく自然に、父はもうすぐ死ぬんだということを受け容《い》れたのだろう。ふと部屋を空けた隙《すき》に、父は逝《い》ってしまうのかもしれない。しかたのないことだ。目を離したことを悔やみもしないし、責めたりもしない。それでいいんだ、と思う。父も納得して息を引き取るだろう。

「仕事するんでしょ？　リビングを使うんだったら、すぐに片付けるけど」

「いや……親父の部屋に行くよ」

「仕事は？」

「親父の部屋でやる。テストの採点だから、うるさくないし、すぐに終わるから」

答案用紙の束と赤ペンを持って、階下に下りた。父の部屋で本を読んでいた母に「交代するよ」と声をかけると、母は「今日はお父さん、調子いいのよ」と嬉《うれ》しそうに言った。「痰もほとんどからんでないし、血圧や呼吸も安定してるし……」

「起きてるの？」

「と、思うけど」

母は苦笑交じりに肩をすくめ、よっこらしょ、とベッドのパイプにつかまって立ち上がった。

母は膝が悪い。二年ほど前に右膝の関節を痛めて水が溜《た》まるようになり、それをかばっているうちに、最近は左脚や腰の具合も悪くなった。お義母《かあ》さんのほうが介護は大変かもね、と麻理は言う──寝たきりになっても、なんか、長いと思うのよね。

父を看取《みと》ったあと、何年先になるかは知らないが、僕と麻理は母を送らなければならない。そして、さらに何年か先には、僕も年老いて、麻理も年老いて……僕は見送る側になるのだろうか、見送られる側になるのだろうか。

「お父さん、晩ごはんつくってくるからね、あとで一緒に食べようね」

母は父にひと声かけてから、ドアのほうに歩きだした。

「まだ、ここで食べてるの？」

「そうよ」――当然のようにうなずいた。

「だって、こんな、点滴の台とかあるし、消毒のにおいとか……」

「お父さんがいるんだから、一緒に食べるのあたりまえでしょ」

母はそのまま部屋を出て行った。

しばらく呆然《ぼうぜん》としていた僕は、我に返ると父の顔を覗《のぞ》き込んだ。

「お母さんと二人で飯食いながら、なに話してるの？」

父の返事はなかったが、薄く開けた目が、少しだけ動いた。

「照れてるの？」

父は目を閉じて、かすかに笑った――ように見えた。

まいったなあ、と僕は何度も首をひねり、折り畳み式の小さなテーブルの上に答案用紙を広げた。まいっちゃうなあ、ほんと、まいっちゃうよなあ……と、つぶやきが勝手にこぼれ落ちる。

採点に取りかかる。赤ペンを走らせながら、半ばひとりごとのように父に語りかけた。

「お父さん……」
○、○、×、○――。
「お父さんは今度生まれ変わっても、やっぱり学校の先生になる？」

×、×、△、○――。

「なりそうだよなあ、お父さんなら。また厳しい先生になっちゃうんだろうね。違う？」
○、○、○、○――。
「でも、寂しくない？」
○、○、○、△――。
「お父さんが会いたい生徒とかいるんなら、ほんとに教えてよ。連れてくるから」
○、×、○、△――。
「ひとつ訊《き》いていい？」

×、○、×、○――。

「お父さんは、生徒のこと好きだった？」

△、○、○、×――。

ペンを置いた。テーブルに両肘《ひじ》をついて頭を抱え込み、「ごめん」と言った。顔を上げて、テーブルから肘を離し、仕事をつづけようとペンを取ったとき、玄関のほうから、カタン、という音が聞こえた。郵便受けの蓋《ふた》が閉まる音だった。

夕刊――？　だが、配達のバイクの音は聞こえない。ピザかなにかのチラシ――？

考えを巡らせかけたとき、はっと背筋が伸びた。あわてて立ち上がり、部屋を飛び出した。サンダルをつっかけて、玄関のドアを開ける。門のまわりに人影はなかったが、郵便受けに封筒が入っていた。

宛名《あてな》も差出人もない封筒の中身は、ルーズリーフが一枚。

〈先生、おじいちゃん、ごめんなさい〉

外の通りに出ると、遠くに、自転車を漕《こ》いで遠ざかる男の子の背中が、あった。

「許してあげるの？」

明かりを消した寝室で、麻理が言う。黙っていたら、「わたしは、許す必要ないと思うけどね」とつづけた。「だって、お義父さん、かわいそうよ……」

「もう写真なんかは撮らないと思うけどな」

「あたりまえでしょ、今度やったら、わたしがひっぱたいてやるから。でも、こういうのって一度やっちゃったら、だめよ。それがすべてだもん。どんなに理由つけたって、結局はそういうことなの、ひとが死ぬのを楽しんでるの、ひどいよ、ほんと。謝ってるのだって、ほんとうに反省してるんじゃなくて、せっかくだから最後まで、死ぬまで見てみたいからなんでしょ？」

「決めつけるなよ」

「でも、ほかに理由なんかないじゃない。介護したいの？　もっと手伝いたいから来たいの？　じゃあ、お義父さんのウンチ取らせてよ、おしっこの袋、取り替えさせてよ。あの子にできる？　できないでしょ、どうせ」

麻理は吐き捨てるように言った。こんなにもとげとげしい言い方をするのは、もしかしたら結婚して以来初めてかもしれない。怒っている。康弘に対しても、それを黙っていた僕に対しても。

そして、麻理の怒りは、思い出にも向けられた。

「わたし、言わなかったっけ？　あなたもいたから覚えてるかもしれないけど、ウチの父親が死んだとき、お母さんが喪主の挨拶《あいさつ》をしたでしょ」

「ああ……」

「そのとき、笑ったひとがいたの。覚えてない？　お父さんの会社の、部下だかなんだか知らないけど、まだ若いひと。隣のひとと小声でぼそぼそしゃべってて、で、笑ったの」

「そうだっけ」

「声は出してないけど、顔が笑ってた。そのとき、ほんとに、涙が止まらなくなっちゃった。お父さんがかわいそうで……なんで、こんなひとたちに自分の死に顔をさらさなきゃいけないんだろう、って……」

でも、そういうものだろう、世の中は。胸の中だけで、言い返した。家族の悲しみを誰もが分かち合えるわけではない——あたりまえのことだ。そのあたりまえのことが、いま、むしょうに寂しく感じられるけれど。

「わたし、ほんとうに悲しくなるひと以外は、死に向き合っちゃいけないんだと思う。そんなの、傲慢《ごうまん》っていうか、生意気っていうか、なめてるよね、ひとが死ぬことを」

寝返りを打つ気配が、暗闇《くらやみ》の中で伝わった。麻理は僕に背中を向けて——だから少しくぐもった声で、つづけた。

「田上くんっていうんだっけ、その子、お義父さんが死んだら泣いてくれると思う？」

「……わからない」

「だったら、もう家に入れないで。わたし、ひとが死んだときに泣かないひとなんか、見たくないから」

声がくぐもったのは、壁に向いてしゃべっていたせいだけではなかった。麻理は涙ぐんでいた。僕は頭の下で手を組んで、暗い天井をぼんやりと見つめた。

6

次の日、康弘は学校を休んだ。母親からの電話では、風邪をひいて熱が出たとのことだった。
二、三日休むことになると思います、と母親が言っていたとおり、翌日も、その次の日も、康弘は学校に来なかった。
欠席三日目の放課後、いつものように家が近所の男子グループが給食のパンやプリントを届けようとするのを制して、「今日は先生が持って行くよ」と言った。

クラスのほかの児童の家は五月に家庭訪問で回っていたが、九月に転入した康弘の家を訪ねるのは初めてだった。そうだよ、遅ればせながらの家庭訪問なんだ、と自分で自分に言い訳した。

康弘の家に向かう途中、少し回り道をして、江戸時代の上水跡の遊歩道を通った。上水はコンクリートで両岸をV字型に固められた底を細く流れているだけだが、遊歩道に沿った桜並木は四月になると花見客でにぎわう。

桜は、まだつぼみすら出ていなかった。去年は春の訪れが極端に早く、三月下旬に桜が満開になったが、今年は三月になってもまだ明け方の気温が零下になる日がある。今日も寒い。父の部屋の空気を入れ換えるのは、無理だろう。

昨日から鼻をつくようになった饐《す》えたにおいを思いだして、顔をしかめた。あれはなんなのだろう。シーツを取り替えても、寝間着を替えても、体を拭《ふ》いても、消えない。体の表面ではなく、奥のほうから滲《し》みだしてくるにおいなのかもしれない。

ゆうべ家に来てくれた看護婦は、血圧がだいぶ下がっている、と言った。手のひらを握って、反応が鈍くなっていることも確かめた。今後は呼吸がときどき止まってしまう恐れがある、という。母と麻理と三人で、酸素吸入器の使い方をあらためて教わった。母にはそんなことをやらせたくなかったが、当の本人は僕や麻理よりもずっと気丈に、淡々と、看護婦に言われたとおりにマスクのあて方を練習していた。

あと二、三日――だろう。

医師に渡されたときのまま箱に入れておいた聴診器を出して、ベッドのそばに置いておくことにした。呼吸が停まってから二十数えても戻らなかったら、鼓動を確かめてほしい、と医師に言われている。僕と麻理と和樹は人工呼吸や心臓マッサージの方法も教わっていたが、母はゆうべ「お父さんが、もう休みたいってことになったら、そのまま休ませてあげようね」と言った。僕もそれでいいと思う。麻理は寝室にひきあげてから、母が「死ぬ」という言葉をつかわなかったことに感動した、と繰り返し言って、最後は泣きだしてしまった。

父が、死ぬ。

「去年、親父《おやじ》が死んじゃって大変だったよ」「ほら、ウチは親父がもういないから」「死んだ親父がさ、よく言ってたよ」「悪い、次の日曜、親父の法事なんだ」「いやもう、最近、いろんなことが死んだ親父に似てきちゃって」……誰かから直接聞いたりテレビで耳にした言葉が、脈絡なく次々に浮かんでくる。

父が、もうすぐいなくなる。

この世から消える。

「死ぬ」とは、「いなくなる」ことなのか？　「消える」ことなのか？　なにかが違う。

そうじゃない、と心の片隅でつぶやいている自分がいる。じゃあ、なんなんだ——？わからない。四十年も生きてきて、たぶん人生の折り返し点をすでに過ぎていて、僕自身の死に向かって少しずつ少しずつ近づいているはずなのに、僕はまだ、死について語る言葉を持っていない。

大学まで卒業したのに、学校の勉強では誰もそれを教えてはくれなかった。

康弘はパジャマの上にセーターを着て、おでこに熱冷ましのシートを貼《は》っていた。昨日まで三十八度台の熱が出ていたという。

連絡なしで訪ねたので母親はあわてていたが、玄関まで出てきた康弘のほうは、かすかな予感でもあったのか、まだ三十七度を超えている熱のせいで頭がぼうっとしているのか、無表情に僕と向き合った。

「具合どうだ？」

「……あんまり、よくないです」

「鼻、詰まってるなあ」

笑って言うと、康弘も、まあね、というふうに笑い返した。

母親は「すぐに片付けますから、上がってください」と言って、僕が断る間もなく部屋に戻ってしまい、康弘と僕は二人きりで玄関に残された。

「手紙、ありがとう。今日は一つだけ伝えておこうと思って来たんだ。先生のお父さん……もうすぐ、死んじゃうよ」

康弘は黙って、まぶしそうな目で僕を見つめる。

「短かったのか長かったのかわからないけど、親父が家に帰ってきてから、いろんなこと考えたよ。親父の人生とか、ひとが死ぬってこととか、こんなにじっくり考えたのって初めてだった。でも、やっぱりわからなかったなあ、死ぬってことは。自分が死なきゃわかんないのかもな……」

苦笑して、「だから」と話をつないだ。

「田上くんが死がわからないっていうのは、あたりまえなんだよ。おとなでもわからないんだから」

「……それで、先生はいいの？」

「うん？」

「わかんないのって、怖くない？」

「怖いよ」

「怖くても平気？」

「平気じゃないけど……でも、いいんだ」

康弘は納得しない顔でなにか言いかけたが、その前に、母親が玄関に駆け戻ってきて、「先生、どうぞ、お待たせしました」と言った。

リビングに通された。母親は僕にソファーを勧め、康弘には「ヤッくんはいいから寝てなさい」と声をかけて、「すぐにお茶いれますから」とキッチンに入った。

座りかけたソファーから立ち上がり、「どうぞおかまいなく」とキッチンに声をかけたとき、サイドボードの上に奇妙なものがあることに気づいた。

奇妙なもの——としか思えなかった、最初は。置き時計とアンティークな西洋人形に挟まれて、位牌《いはい》と水の入ったコップがあった。

思わず康弘を振り返ると、むしろ康弘のほうが困惑した顔になって、鼻をぐずぐず鳴らしながら、「お父さん」と言った。どういうこと？　と訊《き》こうとしたら、康弘は「昔のお父さん」と言い直して、リビングから出ていった。

つづきは、母親に訊いた。

康弘は嘘《うそ》をついていたわけではなかった。位牌は確かに、康弘の「昔のお父さん」——四歳のときに事故で亡《な》くなった父親のものだった。

母親が再婚したのは去年の夏。再婚を機に家を引っ越して、二学期から僕の学校に転校してきた。

「前の家ではちゃんと仏壇《ぶつだん》もあったんですが、まあ、やっぱり、再婚もしたことですし、位牌もお寺に返そうと思ったんですけど……」

新しい父親は、仏壇を置いてもかまわないと言ってくれた。母親は、それでは申し訳ないと思った。写真を飾るのも遠慮して、サイドボードに位牌がぽつんと置かれることになった。

なるほど、と僕はうなずいて、我が家に康弘が通っていたことを伝えた。デジタルカメラの一件は胸の内にとどめておいた。あの日のショックや悲しみは消えたわけではなかったが、いま、位牌を前にすると、ずっと見えなかったことが少しだけ見えてきたような気がした。

なにも知らなかった母親は恐縮しきって肩をすぼめ、それから、わずかに僕を責めるように「そんなことして、よかったんですか、先生も」と言った。

「ええ……教師として正しいのかどうか、よくわからないんですけど」

僕は苦笑して応《こた》え、「でも、教師の息子としては間違ってなかったと思ってます」とつづけた。

母親は怪訝《けげん》そうに「はあ……」とうなずき、転入するときに家庭の事情を話さなかったことをあらためて詫《わ》びた。父親と血がつながっていないことが他の子どもに伝わると、いじめられてしまうんじゃないか、と怖かったという。「それに、もう、新しい生活が始まったんですから」――こっちのほうが本音だったのだろう。

「康弘くんには、お父さんの記憶は……」

「あるみたいです。下の子は赤ん坊だったんで全然覚えてないんですけど、康弘のほうは、ぼんやりと」

「亡くなったときのことは？」

「さあ……そういうことは、お互いに話しませんから……」

母親は首をかしげながら言って、寂しそうな顔でつづけた。

「前の主人のお葬式のこと、康弘、忘れちゃってるんです。それをすごく気にしてて、どうだった、どうだったって、いまでもよく訊くんです。斎場で遊んだりするのって、だから……」

言葉は途切れ、母親は洟《はな》を啜《すす》った。すみません、とティッシュペーパーを目元に当てると、逆にそれで涙が次々に頬を伝いだした。

「……なついてるんですよ、いまの主人にもほんとうになついてて、主人もかわいがってて、実の親子みたいに仲がいいんです、ほんとなんですよ、ほんとに……」

あとはもう、言葉にはならなかった。

翌朝、学校に出かける支度をしていたら、麻理が父の部屋からブザーを鳴らして僕を呼んだ。

あわてて階下に向かうと、麻理は点滴の袋を手に提《さ》げたまま、「あなた、どうしょう」とすがるように言った。隣では母も、同じように困惑した顔で僕を見ていた。

「お義父《とう》さん……もう点滴、要らない、って」

「はあ？」

「薬、もういい、って」

ベッドを振り向いた。父は目を見開いていた。ふだんのぼんやりとしたまなざしとは違う、はっきりとした意識を持った目の光だった。

「お父さん」僕は言った。「だめだよ、点滴しないと」

父は首を横に振った。油が切れた機械のように関節が軋《きし》む音が聞こえてきそうな、ぎごちないしぐさだったが、確かに、父は意志を持って首を横に振った。

「もう嫌かもしれないけど……でも、だめだよ、お父さん、点滴しようよ」

輸液の中には、モルヒネも入っている。点滴をやめてしまうと、耐えがたい苦痛と闘わなければならない。

「ねえ、お父さん、点滴させてよ、頼むよ」

安らかに旅立たせてやりたい。苦痛に顔をゆがめたまま逝《い》かせたくはない。

麻理も「お義父さん、すぐ付けちゃいますからね」と父の胸の上に覆《おお》いかぶさって点滴の袋をカテーテルにつなごうとした。

ぱたん、と音がした。

父の手だ。だらんと横たえていた両手を振って、ベッドのマットレスを手のひらで叩《たた》いていた。うめきながら、何度も、何度も。腕ぜんたいの動きではなく、肘《ひじ》から先だけ、やがて手首から先だけになって、それでも、マットレスを叩くのをやめなかった。言葉を持たない赤ん坊が懸命になにかを訴えるように、父は最後の自分の意志を伝えていた。

麻理はつなぎかけた点滴の袋をカテーテルから離し、体を起こした。

僕も、もうなにも言わなかった。

「お父さん、よかったわね、光一、ここにいるからね」――母が僕の背中をさすって言う。

「光一に、ね、まだ頼りないもんね、いろんなこと教えてやらないとね、お父さんが」――笑いながら言った。

父が僕を見る。残された力を振り絞って目をカッと見開き、小刻みに震えながら、口を動かす。

な、ん、で、も、き、け。

口の動きをたどって言葉にすると、涙があふれた。なに言ってんだ、と言い返してやりたかった。お父さんに訊かなきゃいけないことなんて、なにもないよ、僕もう四十なんだぜ――言いたいのに、言えなくて、僕はただ、うん、うん、と泣きながらうなずくだけだった。

父の目に映っているのは、何歳の僕なのだろう。父は最後に僕のどんな思い出を抱いて旅立つのだろう。

「光一」母が言った。「しっかり聞きなさい。お父さん、あんたと話したいから、頭がしゃんとしてないと話せないから……だから、点滴をやめたんだからね」

僕はうなずいて、膝《ひざ》を正して座り直した。子どもの頃、いたずらをして父に叱《しか》られるときは、いつもこの姿勢だった。

母は「朝ごはん作らなきゃ」とひとりごちて立ち上がり、麻理をうながして部屋を出て行った。

最後になる。もう、父と話をすることはないだろう。父の声を聞くことも、父に僕の声を聞かせることも、これが最後だ。

「お父さん、痛くない?」

父は笑った。

「お父さん……なに話していいか、わからないよ……」

父は笑顔のまま、口を動かした。

お、れ、も、だ。

「だよね……だよね、ほんと」

こ、う、い、ち。

「なに?」

せ、ん、せ、い。

「先生?」

い、い、な、せん、せい、は。

いいな、先生は――。

僕は目をつぶった。

父のような教師にはならない。ずっとそう思っていたし、これからも変わらないだろう。だが、僕はいま、父と同じ職業を選んだことと、父が僕と同じ職業をまっとうしたことを、誇りに思う。

目を開けたとき、入れ替わるように父の瞼《まぶた》はおりていた。痰《たん》の溜《た》まってきた喉《のど》をヒュウヒュウと鳴らして、父は眠りに落ちる。

そして、そのまま、二度と目を開けなかった。


血圧の上が八十を割った。呼吸の間隔がだいぶ長くなった。

「引き潮、今日は何時頃だろうねえ」

母がぽつりと言う。「そんなの関係ないよ、迷信だよ」と苦笑すると、「でも……」と引き潮に合わせて亡くなった知り合いの名前を何人も挙げていった。

やれやれ、と僕と麻理は顔を見合わせる。麻理の隣では学校を早退して帰ってきたばかりの和樹が、神妙な顔をして父を見つめている。

昼前に往診した医師は「まだ持ち直す可能性はありますから」と言っていた。だが、僕たちは——少なくとも僕は、終わりを予感していた。いまは午後三時前。日付を越すことは、たぶんないだろう。

父は昏々《こんこん》と眠りつづける。朝言われたとおり点滴はやめたままだったが、もはや痛みや苦しみを感じる力も残っていないのかもしれない。

玄関のチャイムが鳴った。腰を浮かせた麻理を制して、僕が自分で玄関のドアを開けた。

父の最後の教え子が立っていた。

「熱、下がったんだってな」

「……咳《せき》、ひどいけど」

答えるそばから、咳き込んだ。

「お母さんには黙って出てきたのか？」

「浅井くんに宿題のこと訊いてくる、って」

指でOKマークをつくってやった。

康弘は、はにかんだように笑う。

「上がれよ」

「いいの？」

「いいから呼んだんだよ、ほら、上がれ」

「でも……風邪ひいてるときって、移っちゃうとヤバいから、お見舞いに行けないんでしょ？」

僕の教えたことをちゃんと覚えてくれている。だが、それはもう心配しなくてもいいだろう。

「だいじょうぶだよ。早く上がれよ」

手招くと、康弘もやっとうなずいた。左右のスニーカーをこすり合わせるようにして脱ぎながら、「先生……」と言う。「ありがとうございます」――ございます、まで付けてくれた。

「今日は、俺、先生じゃないからな」と僕は言った。

きょとんとして「なんで？」と訊く康弘に、「今日の先生は、おじいちゃん一人だよ」とつづけた。

「田上くんも俺も、今日は生徒だからな」

父の最後の教え子の同期生なのだ、僕たちは――。

父の部屋に康弘を連れていった。

母は「お父さんの最後の授業だねえ」と嬉《うれ》しそうに言って、邪魔になるといけないから、と部屋を出て行った。事情の呑《の》み込めていない和樹も、おばあちゃんの後を追いかけた。

最後に立ち上がった麻理は、ちょっといい？ と僕に目配せして廊下に出た。

僕は、わかった、と手振りで応え、康弘をベッドのすぐ脇《わき》に座らせた。

「おじいちゃんの手を握ってやれ」

「……うん」

「両手で包み込むように握ってみろよ」

康弘は言われたとおりにした。

「温かいか？」

黙ってうなずいた。

「生きてるんだ」

「……うん」

「ずっと握っていいからな。忘れないように、しっかり握ってろよ」

康弘を残して廊下に出ると、麻理は憮然《ぶぜん》とした顔で、声をひそめて言った。

「あなたが考えて決めたことなんだから、もう口出ししないけど……だいじょうぶなの？」

「なにが？」

「あの子、さっきから咳してるじゃない」

「風邪ひいてるんだよ。今日も学校を休んでた」

「……もしお義父さんに風邪が移ったらどうするの？　いまの容態から持ち直す可能性だってあるのよ、せっかく持ち直しても、風邪を移されてどうにかなっちゃったら、あなた、一生後悔するんじゃない？」

決して悔やまない——とは言わない。すべてが終わってしまったあと、もしかしたら何年もたったあとに、自分のやったことを振り返って頭をかきむしりたくなるような腹立たしさに駆られるかもしれない。

教頭に言われたとおり、僕は息子としてやってはならないことをやっているのかもしれない。

それでも、僕は麻理に言った。

「親父《おやじ》は最後まで教師なんだよ」

「だって……」

「教え残したことがあるんだ。いまじゃないと教えられないことだったんだ」

僕は父の部屋のドアを開けた。康弘はまだ父の手を両手で握っていた。ベッドの脇にひざまずいて、まるで神に祈りを捧《ささ》げるような姿勢で、父の手の温《ぬく》もりを確かめている。

夕暮れの近づいた春の陽射《ひざ》しが、部屋に注ぎ込む。康弘と父はその光を浴びて、言葉のない授業をつづけていた。

父の寝顔は微笑《ほほえ》みをたたえ、白い無精髭《ぶしょうひげ》が陽射しに透けて、金色に変わっていた。

チャイムが鳴る。

僕はその音を、確かに聴いた。


午後八時二十六分、父は家族全員に見守られて、息を引き取った。

僕が聴診器で臨終を確認すると、それまで冷静に付き添っていた母が父の遺体にとりすがって泣いた。連絡を受けた医師と看護婦が駆けつけるまで、母は父に抱きついたまま、決して離れようとはしなかった。


その夜、同僚に電話をかけて翌日から忌引《きび》きをとることを連絡した。

「親父、さっき死んじゃったんだ……」

生まれて初めての――そして、もう二度と口にすることのない言葉を告げたとき、胸の奥がうずいた。

そのうずきは、告別式が終わろうとするいまもまだ、ある。

生前の功績にふさわしく、花環《はなわ》や弔電がたくさん来た。新聞に訃報《ふほう》が載ったこともあって、通夜《つや》も葬式も葬儀会社の見積もりを上回る数のひとびとが参列してくれたが、その中に教え子はほとんどいなかった。

父は寂しい教師だった。

悔やんでいるかどうかは、わからない。息子としては少し悲しかったが、それも丸ごとひっくるめて親父の人生なんだろうな、とも思う。

胸に抱いた遺影を持ち直して、出棺の準備が整った祭壇《さいだん》のほうを見つめた。

棺《ひつぎ》を見送る人垣の中に、康弘がいる。母親に頼んで出してもらったのだろう、よそゆきふうの紺のブレザーを着て、半ズボンにハイソックスを合わせて、まわりのおとなを真似《まね》て合掌している。

「それでは、故・峰岸和治《かずはる》儀、出棺でございます」

司会者の声がスピーカーから聞こえるのと同時に、『あおげば尊し』のメロディーが流れた。葬儀会社の担当者に無理を言って『レクイエム』から替えてもらった、父のための葬送曲だ。

棺がゆっくりと外に出た。

僕の隣で白木の位牌《いはい》を持った母が、うつむいて嗚咽《おえつ》を漏らした。麻理も涙声で、

「いい曲だね、これ」とつぶやくように言った。

棺が進む。『あおげば尊し』の短いメロディーは二巡目に入った。霊柩車《れいきゅうしゃ》が走り出すまでずっと繰り返してくれるよう担当者には伝えてある。参列者の合唱で見送ることができれば父へのなによりのはなむけになるのだろうが、それはもう、あきらめている。

霊柩車の扉が開いた。棺がレールに乗せられた、そのときだった。

「先生！」

野太い声が、人垣の後ろのほうから聞こえた。顔はわからない。声に聞き覚えもない。だが、それは確かに父の教え子の声だった。

その呼びかけが引き金になったように、誰からともなく『あおげば尊し』を歌いだした。声は少しずつ広がっていく。不揃《ふぞろ》いな合唱でも、父はもう不機嫌にはならないだろう。泣き崩れそうになる母を、麻理が肩を抱いて支える。その麻理の肩に和樹が遠慮がちに手を添え、僕は遺影を片手で持ち直して、もう一方の手で和樹の背中をぽんぽんと叩《たた》いた。

にじんで揺れる風景の中に、康弘がいる。父の最後の教え子も『あおげば尊し』を歌っていた。甲高く細い声で、一所懸命歌ってくれていた。

卒業

1

懐《なつ》かしさを感じる余裕はなかった。ただ驚いて、戸惑《とまど》って、頭が混乱したまま体が勝手に、習い性というのか、制服姿の中学生に名刺を差し出してしまった。

「課長代理って、偉いんですか？」

受け取った名刺に目を落としたまま、亜弥《あや》が訊《き》いてきた。

「ぜんぜん偉くないよ」無理に苦笑した。「下っ端《したっぱ》からちょっと上がったかな、って。それくらいだな」

ふうん、とうなずいた亜弥は、「四十で課長代理って、ふつうですか？」とつづけて訊いた。

「まあ、そうだと思うけど」

同期入社の中では決して早くはない。辞令を受けたときは、出世を喜ぶより、組合からはずされてしまう不安のほうが強かった。そういう時代の、その程度のサラリーマンだ。

亜弥は「カチョーダイリ、かあ……」とつぶやいて、顔を上げた。

「あのひとも課長代理になってたと思いますか？」

一瞬、言葉に詰まった。目をそらし、また無理に笑って、「たぶんな」と言った。

「『代理』ってところが、なんか、リアル」

納得しているのか、不服なのか、僕にはよくわからない。中学二年生の女の子と二人きりで話すのなんて、僕自身が中学二年生のとき以来だった。

「『代理』は付かないかもな。あいつだったら、課長か、もっと上の、部次長とか……」

「あ、お世辞、いらないです」

両方の手のひらを僕に向けて、言葉をさえぎった。

お世辞を言ったわけではなかった。ただ、ほんの少しの気づかいはあったかもしれない。亜弥に対してではなく、亜弥が「あのひと」と呼んだ男に対して。

「お母さん、元気？」と僕は訊いた。

「元気ですよ」

軽く返し、「お母さんじゃなくて、ママ、だけど」と付け加える。亜弥には「パパ」

もいる――はずだ。受付で僕を呼び出したときに名乗った苗字《みょうじ》は、「伊藤」から「野口」に変わっていた。

亜弥は通学鞄《かばん》の蓋《ふた》を開け、手帳のポケットに名刺をしまった。手帳は派手な色づかいのバインダー式だった。ブレザーの制服姿を目にしたときには困惑するだけだったが、表紙にプリクラの写真がぎっしり貼《は》られていた手帳を見ていると、もう中学生なんだなあ、と実感する。

十四年――。

僕たちは初対面になるのだろうか。それとも再会になるのだろうか。十四年前、亜弥はまだ母親のおなかの中にいた。僕は二十六歳で、亜弥の父親も二十六歳で……十四年たって、亜弥は中学二年生になり、僕は四十歳になったのに、あいつだけ、二十六歳のまま。

「ジュース、買ってくるよ」

逃げるように席を立ち、ロビーの隅の自動販売機コーナーに向かって歩きだしたら、隣の応接ブースで打ち合わせをしていた春山が追いかけてきた。

「どうしたんだ？」小声で訊いて、亜弥が一人で残ったブースにそっと顎《あご》をしゃくる。「エンコーした相手に脅されてる、とか？」

苦笑いで受け流すと、春山も「まあ、渡辺はそういうタイプじゃないよな」とうなずいて、「俺と一緒にするな、ってか」と笑った。

春山は、先月——四月の人事異動で同期入社のトップをきって部次長に昇進し、僕の直接の上司になった。仕事はできる。役員の受けもいい。そのぶん、現場では敵も多い。やっかみ交じりの噂話《うわさばなし》はときどき僕も耳にする。エンコー——援助交際をしているらしい、という噂も、その一つだった。

「でも、ほんと、誰なんだよ、あの子」

「友だちの娘さん」

足を速めて言った。

「友だちって？」

「学生時代の友だちなんだ」

「で、なんでいま、ここにいるわけ？」

それがわかれば、僕だってこんなに困惑はしない。突然、会社を訪ねてきたのだ。

「渡辺さんとあのひとが親友だったたって、昔ママから聞いたことあったから、昔の卒業生名簿見て」——理由めいたことは、まだその一言しか言っていない。

「まだ昼過ぎだぜ？　学校あるんじゃないのか？」

「うん……」

「家出してきた、とか」

僕は黙って、さらに足を速める。

自動販売機で紙コップ入りのコーヒーとオレンジジュースを買った。コーヒーはいつもブラック。〈砂糖・ミルクなし〉のボタンを押すとき、あいつはコーヒーをどんなふうに飲んでたんだっけ、と伊藤のことを思った。砂糖なし・ミルク入りの組み合わせだと思いだすまで、少し時間がかかった。決してまだ忘れてはいないが、「たしか……」付きで振り返らないとよみがえってこない。

十四年——。

隣の自動販売機で栄養ドリンクを買う春山も、十四年前は支店でくすぶっていた。バブル景気がかろうじてつづいていた頃だった。同期で飲み会を開くたびに、春山は「転職先なんて腐るほどあるんだから」とくだを巻いていたものだった。

「なあ、渡辺。ほんとに、なんかヤバい話じゃないんだろうな」

「ああ……だいじょうぶだ」

「仕事の接客じゃないんだったら、会社の外で会ったほうがいいと思うけどな、俺は。ほら、ロビーはひとの出入りもあるし、やっぱり中学生は目立つし」

「……悪い」

同期ではなく上司としての言葉だったんだろうな、と思ったので、「気をつけます」と言い直した。

「親父《おやじ》さんに連絡したほうがいいんじゃないか?」

「場合によってはそうするよ」とだけ応《こた》えたが、それは無理な相談だった。

春山は栄養ドリンクを一息に飲み干して、うっしゃっ、と芝居がかったしぐさで腹に力を込めた。「オヤジくせえなあ」と自分で自分を笑う。

「オヤジくさいんじゃなくて、正真正銘のオヤジなんだよ」と僕は言った。これは同期としての発言でいい、はずだ。

春山も「だな」と笑ってうなずいた。

十四年──。

あの頃、僕はまだ若かった。礼服も持っていなかった。ふつうのスーツに黒ネクタイを締めて葬儀に参列したあとは、会葬御礼のハンカチに添えられた浄《きよ》めの塩の使い方がわからず、本屋に寄って冠婚葬祭入門を立ち読みした。それが、祖父母がそろって長命だった僕にとっては初めての、身近なひととの別れだった。

亜弥は携帯電話でメールを打っていた。僕がブースに戻っても、「ちょっと待っててください」と親指の動きを止めない。

「ねえ……」メールを打ちながら、言う。「びっくりしました？　いきなり来て」

「驚くよ、それは」

「わたしのこと、忘れてました？」

「忘れてたわけじゃないけど……」

「でも、思いだしたりはしてなかった？」

「うん……」

「じゃあ、忘れてたんだ」

そうかもしれない。葬儀のときに奥さんのおなかが大きくふくらんでいたことは覚えていても、その子がやがて生まれてくるんだということは、頭からすっぽり抜け落ちていた。

「渡辺さんは、もう結婚してるんですか？」

「ああ。子どもも二人いる。どっちも男の子なんだけど」

一つ年上の妻と二十八歳で結婚して、翌年、上の子が生まれた。もしも伊藤が生きていれば、結婚式では友人代表としてスピーチを頼んでいたはずだった。緊張して顔を真っ赤に染め、つっかえながら学生時代の思い出を披露する、そんな伊藤の姿もくっきりと思い描けていたのだ。

　亜弥はようやくメールを打ち終えて送信し、二つ折りにした携帯電話をテーブルの上に置いた。

「ジュース、飲みなよ」

「ありがとうございまーす」

　ジュースを一口飲んで、あらためて正面から僕を見つめる。

「どんな気分ですか、いま」

　試すような訊き方に、少しむっとした。「びっくりさせたくて訪ねてきたの？」と訊き返すと、「それもちょっとあったけど」と笑う。

「今日、学校は？」

「……開校記念日で休み」

「制服を着てるけど」

「学校まで行って、休みだってことに気づいたから。ちょー抜けてんの、わたし」

「お母さんは知ってるの？」

「お母さんじゃなくて、ママ」

「ママには言ってあるのか、俺と会うこと」

亜弥は小さくうなずいた。ジュースをごくごくと飲む、そのしぐさで、ほんとうの答えはなんとなくわかった。

「渡辺さん、いま、どんな気分なんですか」

もう一度訊かれ、今度は少し余裕をなくした訊き方だったから、僕も素直に答えた。

「びっくりしてるよ、ほんとに。もう十四年もたっちゃったんだなあ、って」

「懐かしい？」

「うん……でも、あのときはまだ生まれてなかったからな、亜弥ちゃんは」

「あ、『ちゃん』、いやです。亜弥でいいです」

「じゃあ、亜弥さん、だ」

「『さん』も好きくない」

「野口さんにしようか」

「亜弥でいいです、亜弥にしてください」

いやなものは、いや。そういうところは、伊藤とは違う。おまえ、けっこう優柔不断だったものな、と心の中で声をかけると、胸がちょっと熱くなった。

「やっぱり、懐かしいな。だんだん懐かしくなってきた」

「そうですか？」

亜弥は嬉《うれ》しそうに返す。

「ああ……懐かしい、やっぱり懐かしいよ」

「昔のこと思いだしたり、とか？」

「うん、思いだす」

答えると、亜弥は身を前に乗り出してきた。「どんどん思いだしてください」と言う。「あのひとのこと、どんどん思いだして……で、わたしに教えて」

それが、つまり——亜弥が僕を訪ねてきた理由だった。

「わたしの父親って、どんなひとだったのか知りたいんです」

通りいっぺんの、たとえば「いい奴《やつ》だった」ですませることはできなかった。

亜弥はつづけて、こう言ったのだ。

「あのひとのこと知っとかないと、ヤバいじゃないですか」

「ヤバい、って？」

「怖いじゃないですか、遺伝とか、遺伝はしなくても、そういうタイプって親子で似ちゃうんじゃないですか？」

黙り込む僕を見つめたまま、体を椅子《いす》の背に戻す。

「このまえ、自殺未遂しちゃったんですよ」

ぽつりと言って、「軽ーく、ですけど」と笑いながら付け加え、ジュースを飲んだ。隣のブースから春山の笑い声が聞こえた。商談がうまくまとまったのだろう、「今後ともよろしくお願いいたします」「いえいえ、こちらこそ、いろいろ助けてください」と挨拶《あいさつ》の声と一緒に、椅子を引く音がする。

亜弥は空になった紙コップをテーブルに置いた。「外で話そうか」と言うと、思いのほかあっさりと、「はーい」と立ち上がる。ついさっき口にした言葉の重みを払い落とすように「課長代理って、けっこう暇なんだぁ」と笑った。

笑い返そうとしたが、頬《ほお》はゆるまず、喉《のど》の奥もすぼまったままだった。

そんな僕を見て、亜弥は初めてしおらしい顔になった。

「いやなこと思いださせちゃって、すみません」

中学二年生の女の子は、僕が考えているよりもおとななのか子どもなのか、それがわからないから、僕はただ、「そんなことないよ」としか言えなかった。

昼間のオフィス街に、制服姿の中学生はいかにも不似合いだった。すれ違うサラリーマンやOLが、ちらちらとこっちを見る。腕と腕が触れ合いそうなほど、亜弥が僕にくっついて歩いているせいも、ある。

「こういうところに来るのって、初めて」と亜弥は言った。家は郊外のニュータウンにある。五人家族。パパとママと、亜弥と――血が半分しかつながっていない弟と妹が一人ずつ。

「パパはどんな仕事してるの？」と訊《き》くと、「ママと二人でレストランやってる」と答えた。パエリアが人気のスペイン料理の店らしい。情報誌ふうにいえば、郊外の一軒家レストラン。「ママ、再婚するとき、ずーっと一緒にいられる仕事のひとを探したんだって」とつづけ、僕の相槌《あいづち》が沈んだのを見て、「ほんとかどうかわかんないけど」と付け加える。

伊藤は会社で死んだ。ビルの非常階段の、七階の踊り場から飛び降りた。駐車場のアスファルトに全身を叩《たた》きつけられて、ほとんど即死だったという。

「あのひとの会社も、このへんなんですか？」

「いや、あいつは池袋の近くだったから。わりと古い街で、大きなマンションなんかもあって……」

詳しい話はなにも知らないのかもしれない。だとすれば、僕の聞いている経緯をどこまで話していいのか、わからない。

歩いている途中、亜弥の携帯電話が何度か鳴った。どれも、発信者表示を確かめるだけ。「けっこうかかってくるんだな」と言うと、「そう？　ふつーですよ、こんなの」と笑う。学校では授業中のはずの時間に電話がかかってくるのが「ふつー」かどうか、中学生が携帯電話を持ち歩くのが「ふつー」かどうか、僕には判断がつかない。小学五年生と三年生の息子たちは、サッカーとベイブレードと今夜の晩ごはんのことしか話さない。

公園に着いた。噴水池と野外音楽堂のある広い公園なので、お年寄りや子ども連れの若い母親の姿も多い。中学の制服がやっと風景に馴染《なじ》んだ。

亜弥はホットドッグの屋台を見つけて「こんなのあるんだぁ」とつぶやいた。「食べるか？」と訊くと、「おごってくれるんなら」――そういう答え方も、「ふつー」なのだろう。

噴水池を眺めるベンチに亜弥を座らせて、ホットドッグとコーラを一つずつ買った。紙袋を胸に抱いてベンチを振り返ると、亜弥は噴水をぼんやりと見つめていた。規則的な間隔で高く噴き上がる水柱は、五月の午後の陽射《ひざ》しを浴びてきらきらとまぶしい。

伊藤は七月に死んだ。梅雨明け前だった。ビルから飛び降りた日も、お通夜《つや》も、葬儀の日も、ずっと雨。出棺前の奥さんの挨拶は雨音に邪魔されてほとんど聞こえなかった。言葉よりも、親戚《しんせき》の女性に横から支えられた肩の細さと、ふくらんだおなかの大きさのほうが記憶に残っている。

　僕がベンチに座ると、亜弥はワンテンポ遅れて、ふと我に返ったように振り向いた。

「ごめん、ぼーっとしてました」とぎこちなく笑って、もっとぎこちなく「わーい、いただきまーす」とホットドッグを手に取った。

　訊きたいことは、いくらでもある。ありすぎて、どこから訊けばいいのか考えてしまう。

　だが、亜弥は自分のほうから、僕のいちばん訊きたいことを話しはじめた。

「自殺未遂って……ちょっと大げさだったかもしれない。だから、忘れてくれていいですよ」

「でも、嘘《うそ》じゃないんだろ？」

「未遂の未遂って感じなんですよ。もう死んじゃってもいいかなあって、うん、さらっと思っちゃって、リスカして……」

「リスカ、って？」

「リストカット」

　ホットドッグを持った右手を、僕の前に伸ばした。手首の内側を上に向け、左手の人差し指をナイフ代わりに押し当てて、滑らせる。

傷が、細いかさぶたの筋になって残っていた。

「カッターナイフだったから全然浅くて、血もあんまり出なくて、なんかもう、なんちゃって自殺、みたいだったけど……」

「なんで、そんなことしたんだ？」

「まあ、いろいろ」

さらりとかわして、逆に僕に訊いてくる。

「渡辺さんは、あのひとが自殺した理由って知ってるんですか？」

僕は黙って、かぶりを振った。

「もしかしたら、って思い当たることでもいいけど」

しばらく僕の言葉を待った亜弥は、ホットドッグを一口かじって、口をもごもごさせながら「嘘つきー」と言った。軽く言うから、胸に重く残る。

嘘をついたわけではなかった。自殺する一週間前に会ったのだ。ひさしぶりに酒を飲んで、昔の友だちの近況や、付き合いはじめたばかりの僕の恋人のことや、あと数カ月で生まれてくる伊藤の子どものことを話した。仕事の愚痴《ぐち》は少し出たが、死につながるほどの深刻なものではなかった。酒の強くない伊藤は、いつものようにビールをグラスで二杯空けた頃から顔を赤くして、酔うと陽気になる僕も、いつものように最後はつまらない駄洒落《だじゃれ》ばかり言って、終電の駅で「じゃあ、またな」と別れて……

それっきり。

「そんなので、渡辺さん、平気だったんですか？」

「なにが？」

「だって、親友がなんで自殺しちゃったのかもわからないままで、それで平気だっていうの、変じゃないですか」

「平気なわけじゃないけど……」

「でも、そのままほっといてるじゃないですか。わたしと今日会うまで、あのひとのこと忘れてたでしょ？　なんか、全然親友っぽくない」

亜弥は憮然《ぶぜん》として、またホットドッグをかじる。口からあふれるほどたくさん頬張った。すぐそばにあるコーラのカップに手を伸ばそうとはせずに、息苦しそうに顎《あご》を動かす。

「俺以外には、誰か訪ねたの？」

亜弥は、ううん、と喉を鳴らして、首を横に振る。

「会社で一緒だったひとのほうが詳しいんじゃないかと思うけど」

返事はない。口はまだホットドッグでふさがっていて、ぱさついたパンの嵩《かさ》はなかなか小さくならない。

「学生の頃とは違って、ほとんど会わなくなってたから、俺たち。話を聞くんなら、会社のひとのほうがいいと思うけどな」

喉と胸の境目あたりを、握り拳《こぶし》で叩く。ほんとうに苦しそうだ。

「……だいじょうぶか？」

やっとコーラのストローをくわえた。口の中のホットドッグが喉に流れ落ちると、ふう、と一息つき、顎の下を軽く揉《も》んで……「サイテー」と吐き捨てる。

なにが？　と訊く前に、亜弥はベンチから立ち上がった。

「親友じゃなかったの？」

ホットドッグをベンチに置いて、もう一度、「親友じゃなかったの？」と、なじるように言う。

弁解は言わせてもらえなかった。亜弥は僕をにらみつけて「ほんと、サイテー」と言って、それが捨て台詞《ぜりふ》になった。歩きだす。背中に怒りを張りつかせて、足早に。

僕があわてて立ち上がると、ダッシュ――。

あとを追おうとしたが、駆けだす寸前で、やめた。あっという間に遠ざかっていく亜弥の背中を息を詰めて見送った。追いつけそうもない距離になったのを確かめると、微妙にほっとした。胸の中に溜《た》まった息を吐き出して、ベンチに座り直す。

「なんなんだよ……」

つぶやいて、食べかけのホットドッグと飲みかけのコーラを袋に入れた。

「なんなんだよ、ほんと……」

応接ブースで会ったときとは別の種類の困惑が、胸にからみつく。さっきよりも苦い。亜弥の姿は、もう見えない。僕はことさら乱暴に袋の口をねじって、ゴミ箱に放り込んだ。胸の中の苦みが、じわじわと後悔に変わりはじめていた。

2

正直に言う。「親友」という言葉に、僕は背中がこわばるような居心地の悪さを感じていた。時間がたつにつれて、いっそう。

伊藤が奥さんにそう言っていたのか、奥さんが選んだ言葉なのか、亜弥が勝手にわかりやすく言い換えたのかは、知らない。それを間違いだと打ち消すつもりもない。ただ、僕なら、伊藤のことを「親友」とは呼ばない。呼んでしまってはいけないんじゃないか、とも思う。

「落ち込んでたものね、あなた」

妻の祥子《しょうこ》が言う。

「そんなでもないだろ」と僕はリモコンでテレビのチャンネルを順に変えながら返す。

「落ち込んでたよ。だって少し痩《や》せちゃってたでしょ、あのあと」

「そうだっけ？」

「うん……一緒にごはん食べに行っても、残すこと多かったもん」

チャンネルが一巡した。ろくな番組がない。日付が変わり、その夜の最後のニュースが終わったあとは、どこの局も、ちゃちなセットと金をかけないロケの、細切れの番組ばかりになる。若いタレントの早口のしゃべり方についていけなくなったのは、いつ頃からだっただろう。

「わたしは伊藤さんのことは全然知らなかったし、身重の奥さんを遺《のこ》して死んじゃうなんて、めちゃくちゃ自分勝手なひとだとしか思わなかったけどね」

「……俺もそうだよ」

「お葬式で泣かなかった、って言ってたよね」

テレビのスイッチを切った。どんなにしても感情がまとまっていかないもどかしさを、ひさしぶりに思いだした。伊藤が死んでからしばらく、感情が砂のようになっていた。手のひらで集めて、こねて、「悲しみ」の形にまとめようとしても、形づくった端から砂はさらさらと崩れ落ちる。「怒り」の形も同じ。「寂しさ」も同じ。いっそ自分はまだ生きているんだという「喜び」にしてやろうかとも思ったが、それも無理だった。

祥子は子どもたちの散らかしたマンガ本を片づけて、食卓の、僕の向かい側に座った。

「こんなこと言ったら怒られちゃうかもしれないけど、わたしはちょっと嬉《うれ》しかったけどね」

「なにが？」

「身近にそういうひとがいたら、もうあなたは絶対に自殺しないだろうな、と思ったから」

その考え方も、ある。実際に僕も、憔悴《しょうすい》しきった奥さんの姿を見ていたら、祥子には絶対にこんな思いはさせないぞ、と——まだプロポーズさえしていないうちに誓った。

伊藤のふるさとで営まれた一周忌の法要に、奥さんは姿を見せなかった。伊藤の両親も奥さんの話はいっさい口にしなかった。子どもが生まれるのと同時に奥さんは伊藤家から籍を抜き、それをめぐって伊藤の両親と揉めに揉めて、最後は「あんたがついていて、なんで死なせた」と責める両親と「一人で勝手に死なれて、あとに遺された者の身になってみろ」という奥さんの実家の言いぶんとが、修復不能なまでに激しくぶつかり合ってしまったらしい。法要の参列者の立ち話でその経緯《いきさつ》を知った僕は、あらためて、自殺はヤバいよな、と噛《か》みしめたのだった。

「亜弥さんっていうんだっけ？　その子も、そういう発想になればいいのにね」

「だよな……」

「わたしはお父さんのぶんも強く生きていこうと思います、でいいじゃない。家族を悲しませるような死に方は絶対にしたくありませんって、なんで思えないんだろうね」

きれいに筋の通った考え方だが、きれいすぎて逆に、それは難しいかもな、という気もしないではない。

僕だってそうだ。自殺は絶対にやめようと刻み込んだ、その胸の中の、もっと奥深くには、別の思いも刻まれている。

こんなに簡単に、ひとは死んでしまう――。

違う、もっと正直に言おう。

こんなに簡単に、ひとは死ねる――。

だからどうだというのではなく、身も蓋《ふた》もない事実として、胸にある。消し去ることはできない。ほんとうに簡単に、あっけなく、嘘みたいに、伊藤はこの世からいなくなってしまったのだから。

リモコンで、またテレビのスイッチを入れた。番組はなんでもいい。ただ、にぎやかな音と、動く絵が欲しかった。

「タカとノリはどうなんだろうな」と僕は言った。貴之と紀之――二人の息子の顔を思い浮かべて、「あいつらも自殺のこととか、考えたりしてるのかな」とつづけた。

「無理無理」祥子はおかしそうに笑った。「そんな高級なこと考えるような子じゃないもん、二人とも。死ぬの怖《こ》えーっ、で終わりじゃない？」

僕もそう思う。そうであってほしい、とも願っている。だが、ひとは簡単に死ねる――気づくか気づかないかの違いだけで、それは、どうしようもなく正しい事実なのだ。

「中二でしょ？　そういうこと考えちゃうのよ、女の子って。自殺未遂なんて、本人がカッコつけて言ってるだけで、実際はもう、全然心配することないと思うけど」

「うん……」

「今度もし連絡があったら、こう言ってやれば？　悲劇のヒロインになって盛り上がるのは勝手だけど、死んだお父さんのことをダシにしたり、関係ないひとを巻き込んだりするの、やめなよ、って」

そうだな、とうなずいた。

「それに、そんなこと言ってると、お母さんや育ててくれたお父さんがいちばんかわいそうじゃない。そういうのが見えないのよね、あの年頃の女の子って、ほんと」

いつになく強い調子で言う祥子に、「おまえはどうだった？」と訊《き》いてみた。「中学生の頃に自殺とか考えたりした？」

短い間をおいて、祥子は「しょっちゅう遺書を書いてたよ」と答え、おばさんと呼ばれる歳《とし》にふさわしい太い声をあげて笑った。「そういうもの、そういうもの、中学生なんてね」

伊藤には、祥子を紹介できないまま、だった。いまの、ぷくぷくと太った祥子を見たら、伊藤はなんと言うだろう。子どもを産んでから横幅が倍になっちゃったんだと言っても、信じてくれるだろうか。貫禄《かんろく》のついた祥子の体つきと、そこに降り積もった十四年の歳月を、僕は肯定する。幸せな日々だったと思うし、これからもその幸せはつづいてくれるだろうと思う。

それでも——ひとは簡単に死ねる。

僕だって。祥子だって。もちろん、亜弥だって。

祥子が寝室にひきあげたあと、リビングのパソコンで亜弥の両親が営むレストランを検索した。街の名前と、スペイン料理、さらに検索語に〈野口〉を加えて絞り込みをかけると、該当が一件。地元のタウン情報誌が運営するサイトの、グルメ情報ページに出ていた。

『ロス・プラトス』という店名だった。スペイン語で「たくさんのお皿」という意味らしい。お勧めは、パエリアと、牛ミノのマドリード風煮込みと、自家製のサングリア。〈厨房《ちゅうぼう》を一人で切り盛りするオーナーシェフの野口さんと、接客担当の香織《かおり》夫人の、息の合った家庭的なもてなしが堪能《たんのう》できる〉——紹介文を読んで思いだした、伊藤の奥さんは、香織さんといった。

夫妻の写真も出ていた。僕や伊藤と同い歳の香織さんは、葬儀の日の記憶よりずっとふくよかになって、やわらかい微笑《ほほえ》みを浮かべていた。その隣で、野口さんが髭面《ひげづら》を照れくさそうにほころばせている。僕たちより少し年上だろうか。恰幅《かっぷく》のいい、いかにも頼りがいのありそうな男性だった。

店の住所と電話番号をメモに書き取って、画面を閉じた。そのまま電源を落としかけたが、ふと思いついて、検索画面を呼び出した。

〈伊藤真〉と打ち込んで、検索をかける。

サーチエンジンは、瞬時に四千件近いページを集めてきた。そこに〈自殺〉を加えると、七十件。思ったより多い。〈自殺〉という言葉は日常語なんだな、と嚙みしめた。

リスト表示されたサイトの中に、『伊藤真のお墓』というタイトルのホームページがあった。

息を呑《の》んで、トップページに飛んでみた。

伊藤がいる。たしか葬儀のときに遺影に使われていた、ピントの甘いモノクロ写真。写真の下には〈伊藤真　１９６２・11・15〜１９８９・７・８〉――そして、ホームページの管理人からのメッセージ。

〈伊藤真さんは、１９８９年７月８日未明、飛び降り自殺で亡《な》くなりました。生前の伊藤さんについての情報を募集しています。どんな小さなことでもけっこうです。写真、手紙、小物類、大歓迎。なんのお礼もできませんが、身重の妻と生まれる前の我が子を残して間抜けに死んでいった伊藤さんのお墓を充実させていきたいです。いた

ずら厳禁。呪《のろ》いがかかります〉

　文末の署名を見て、胸に溜めていた息をゆっくりと吐き出した。

〈管理人　ａｙａ〉

『伊藤真のお墓』は、どこともリンクしていなかった。どの星座にも入れてもらえずに、ぽつんと夜空に浮かぶ星のようなものだ。

　掲示板にはなにも書き込みはない。カウンターは付いていなかったが、アクセス数はかぎりなくゼロに近いだろう。

　本気で情報を集めようとしていない――？

　首をかしげながら画面をしばらく見つめ、違うよな、とため息をついた。

　本気なのだ、あの子は。本気だからこそ、あてもなく、誰かが訪ねてくるのを待っている。

　椅子《いす》に座り直し、キーボードを叩《たた》いた。

〈ａｙａさん　渡辺です。今日は突然のことだったので、ろくな話ができなくてすみません。また時間があれば連絡してください。私も少しでも伊藤くんのことを思いだしておきます〉

送信したあと、またトップページに戻って、伊藤の顔と向き合った。僕も伊藤の写真は数枚持っている。学生時代の教科書やがらくたと一緒に段ボール箱に詰めて、押し入れの奥にしまってあるはずだ。それを亜弥に渡してやれば喜ぶかもしれない、と思う一方で、そうじゃないんだ、あの子が欲しいのはそんなものじゃないんだ、という気もする。

「ひさしぶりだな」と液晶ディスプレイの中の伊藤に声をかけた。「こんなところで会うとは思わなかったけどな」と苦笑する。

伊藤の遺影は笑顔ではなかった。パスポートか運転免許証のほうが似合いそうな、すました顔だ。いい写真を選んでいる余裕などなかったのだろう。いや、たとえとびきりの笑顔を浮かべた写真だったとしても、『ロス・プラトス』の野口さんの笑顔には、負ける。負けなければならない。それくらい、おまえにだってわかるよな、と伊藤に顎《あご》をしゃくって、二十六歳の若造には無理かもな、と笑った。

酒を飲みたくなった。サイドボードから、ウイスキーのボトルとグラスを二つ出した。二十六歳の若造なら照れくさくてたまらないことも、四十歳の中年男なら、感傷に甘えて、できる。

乾杯までしてしまった。グラスが触れ合うカチンという音は、軽かったけれど、余韻がしばらく残った。

非常階段の踊り場にあった伊藤の遺書は、「遺書」としての体をなしたものではなかった。サ・ヨ・ナ・ラ——の形に煙草《たばこ》を並べただけ。オフィスから姿を消す直前、ロビーの自動販売機で煙草を買っているのを同僚が目撃していた。

僕はウイスキーを啜《すす》りながら、手持ちの煙草をテーブルに並べた。サ・ヨ・ナ・ラをつくるには、十二本の煙草が必要になる。背広のポケットの中には、中に五本入ったセブンスターのパッケージがあった。残り三本は——吸殻になって、踊り場に落ちていた。吸殻はどれもフィルターぎりぎりまで灰になっていた、という。

斎場で営まれた通夜《つや》の席で、伊藤の同僚たちはそのことをめぐって、ぼそぼそと話していた。紙に書いた遺書がないのだから、衝動的に飛び降りてしまったのではないか。少なくとも、非常階段に出たときには、死ぬつもりなどなかったのではないか。いや、だが、伊藤のオフィスは三階にあって、七階まで階段を上っていく理由がない。なぜ七階だったんだ。七階は役員フロアだからじゃないのか。それは違うんじゃないか、会社に恨みがあるのなら遺書に書くはずだから……。

夜が更《ふ》けた頃、誰かが新しい情報を仕入れてきた。一カ月ほど前からクリニックでカウンセリングを受けていた、らしい。そういえば最近元気がなかったな、と誰かが言った。得意先に無理難題をふっかけられどおしだった、と誰かが言った。いや、でも、あれくらいは普通だろう、と誰か。そうだよ、あんなことで自殺してたら命がいくつあっても足りないって、と誰か。あいつ意外と精神的に弱かったんだなあ、と誰か。そういうこと言うなよ、と誰か。まあ、奥さんがかわいそうだよなあ、と誰か。赤ちゃんどうするんだろうなあ、と誰か……。

煙草でつくったサ・ヨ・ナ・ラを見つめる。顔を上げ、液晶ディスプレイの中の伊藤に目をやって、「どっちだったんだ?」と訊いた。

三本の煙草を吸ったのは、サ・ヨ・ナ・ラをつくる前だったのか、あとだったのか――。

遺書を書く前に吸っていたのなら、煙草三本ぶんの時間をかけて、迷っていたのかもしれない。

遺書を書いたあとだとしたら、煙草三本ぶんの時間をかけて、この世との別れを惜しんでいたのかもしれない。

「……結果は同じか」

サ・ヨ・ナ・ラの「サ」を崩して、横棒に使った一本をくわえた。火を点《つ》けて、ゆっくりと煙を吸い込んだ。

学生時代、僕たちは毎日のように大学の近所の雀荘《じゃんそう》に出かけ、仲間内で安いレートの麻雀を打った。麻雀のときの煙草の吸い方には、それぞれの癖が出る。僕は手牌《てはい》がまとまらないときに煙草をいらだたしげにふかすタイプで、伊藤はテンパイまで持ち込んだあとに一服するタイプ。それをあてはめれば、死の間際《まぎわ》に吸った三本は、すべてを終えたあと――だったのかもしれない。

「どんな味がした？」

想像しても、決して届かない。深夜のダイニングキッチンで吸う煙草の味とは絶対に違う、とは思うのだが。


眠る前に掲示板を覗《のぞ》くと、僕が送ったメッセージの上の欄に、ａｙａ――亜弥からの返事が入っていた。

〈渡辺さん　お墓参りありがとうございます。明日の夕方5時に大学に行きます。16号館前のロータリーにいます。来てください〉

大学名は必要なかった。

十六号館は、僕と伊藤が通っていた学部の校舎だった。

3

大学のキャンパスを歩くのは、卒業以来初めて――数えてみたら、十八年ぶりだった。野球部のグラウンドに図書館が建ち、いちばん古びていた十四号館はハーフミラーのビルに建て替えられて、なにより行き交う学生たちのファッションや髪形が、あの頃とはまるで違っている。

それでも、目に見えるものよりも、見えないもののほうに懐《なつ》かしさがある。ここ、とは指差せないどこかに、確かに、あの頃とはなにも変わっていないものがある。

約束どおり、十六号館前のロータリーに亜弥はいた。昨日と同じ制服姿だった。円形の植え込みの縁をベンチ代わりに――あの頃の僕たちのように座っていた。

「ホームページ、よくわかりましたね」

けろっとした顔と声で言う亜弥から目をそらし、ロータリーを見渡した。夕方なので学生の姿はだいぶ少なくなっていたが、午後の早いうちは、あの頃と変わらず、雑踏のようなにぎわいを見せていたのだろう。休憩時間には掲示板の前に人垣ができて、休講通知を確かめるのも苦労する。植え込みの縁に何組もの学生が腰かけて、おしゃべりをしたり、本を読んだり、知り合いが通りかかるのを待ったり……そんな風景の中に、僕や伊藤もいた。

「一九八〇年代の前半ですよね、学生時代って」

亜弥は通学鞄《かばん》から大判の本を取り出した。一九八〇年代の風俗や流行を紹介したムック本だった。「図書館で借りて勉強してるんです、いま」と、ちょっと得意そうに言う。

サーファー、レンタルレコード、テクノカット、ニュートラ、スペイン坂、ハイサワー、笑っていいとも!、クレープ、東京ディズニーランド、玉椿《たまつばき》、片岡義男《よしお》、レッドシューズ、スタジャン、浅田彰《あきら》、たのきん、ボートハウス、ふぞろいの林檎《りんご》たち、タケちゃんマン、クリストファー・クロス、E.T.、夢の遊眠社、逆噴射、フォーカス、おいしい生活、ジョン・マッケンローとジミー・コナーズ、ホンダ・シティ、松田聖子、ホール&オーツ、シンボリルドルフ、純、ラフォーレ原宿、おしん、フォークランド戦争、テレホンカード……。

亜弥が本から拾い上げていく言葉はどれも馴染《なじ》みがあったし、その言葉をつかった思い出話なら、いくらでもできそうだった。

だが、僕は亜弥の話をさえぎって、言った。

「そんなのじゃわからないよ」

亜弥はきょとんとして「なんで?」と訊《き》き返す。「一九八一年に入学して、八五年に卒業でしょ? 二人とも」

「俺たちがここにいたのが、たまたま八〇年代だった、っていうだけなんだから」

「どういう意味ですか?」

「だから……流行語とか、店の名前とか、有名人の名前とか、そんなの関係ないと思うんだ。関係ないっていうか、そういう言葉をいくら覚えたって、俺たちの……」

途中で、亜弥の携帯電話が鳴った。着信音、一回。亜弥は発信者番号だけ確かめると、すぐに僕に向き直って、話のつづきを待った。

もっとも、電話で邪魔されなかったとしても、その先の言葉を僕は頭に浮かべていたわけではなかった。しゃべっているときも、妙にむきになっている自分に戸惑っていた。

「うまく言えないんだけど……細かい言葉はいろいろ時代で違ってると思うけど、結局、同じだと思うんだよな」

「同じ、って?」

「友だちと付き合うのって、時代なんて関係ないだろ」

試験前に英単語を覚えるように、自分の生まれる前の時代の出来事を勉強する――亜弥にはそれしかできないんだとわかっていても、そこからこぼれ落ちてしまうものは絶対にある。そして、こぼれ落ちてしまうもののほうが、実際にその時代を生きてきた僕たちにははるかに大切なのだとも思う。

「亜弥にも友だちいるだろ？　いい奴《やつ》だなあって思う相手、いるだろ？　その子と遊ぶときって、いまが二〇〇三年だとか、なにが流行《はや》ってるとか、関係ないんじゃないか？　同じなんだよ、俺とお父さんも」

亜弥はうつむいて僕の話を最後まで聞いてくれたが、うなずいてはくれなかった。うつむいたまま、「四つ、むかついた」と言う。

「言ってみなよ」

「『お父さん』って言い方、やめてほしいんだけど」

「でも、父親だろ？」

「生まれる前に死んじゃったひとなんて、父親じゃないよ。父親の責任、放棄してるんだから」

答えに窮した僕に、自分の足元を見つめて、「まず、一勝ね」とつぶやく。

「それと、あのひとって、ほんとにいい奴だったの？」

「ああ……」

「じゃあ訊《き》くけど、いい奴が、ふつう、おなかの大きな奥さんを遺《のこ》して死んじゃう？　無責任な、サイテーの奴のやることじゃないんですか？」

なにも返せない。「二連勝」と亜弥は言う。

三つ目にむかついたのは、時代のことだった。

「あのひとがどんな音楽を聴いてて、どんなテレビを観《み》てて、どんなファッションの女の子を見てたのか、知りたいと思うのって悪いの？　いけないわけ？　なんにもわかんないんだもん、しょうがないじゃん」

「いけないなんて言ってないだろ」

「思い出があるからって、いばんないでよ」

「……いばってないよ」

「いばってる！」

勝手にしろよ、と黙り込んだら、「三連勝」と言われた。

そして、四つ目——これがいちばんむかついたんだけど、と亜弥は顔を上げて、僕をにらんだ。

「あのさー、わたしのこと、なにも知らないでしょ？　知らないのに、なんで同じとかって言えるわけ？　なんで決めつけちゃうの？」

「決めつけたわけじゃないって」

「だって、わたしのこと、なーんにも知らないくせに」

その言い方がいかにも憎々しげだったので、こっちもついかっとして、「友だちたくさんいるだろ？　メールとか電話とか、いっぱい来てるじゃないか」と声を荒らげた。

亜弥はひるまなかった。薄笑いを浮かべて、「全勝」と言った。

「……なんでだよ」

「渡辺さん、さっき来たメール見せてあげようか」

ほら、これ、と携帯電話の画面を僕に向けた。

〈まだ死なないの？　みんな待ってるから早く死んでください〉

薄笑いの顔を崩さず、「みんな、こんな感じだから」とボタンを押して、前のメールを順に表示させる。

〈逃げてもむだです。死ぬまで待ちます〉〈葬式のとき爆笑します〉〈口だけだったら最初から死ぬなんて言うなバカ死ね〉

僕は目を伏せる。「もう、いいよ」とかすれた声で言う。

亜弥は携帯電話のフリップを閉じた。

「ね、教室に入ってみたいんだけど……案内してくれますか」

さばさばした口調で言って、僕が応《こた》える前に立ち上がる。校舎に向かって何歩か進んで、携帯電話を空にかざすように持ち上げて、「ばかだよねー、こいつら。わたしが死んだら、これ、カンペキな証拠物件になっちゃうのにね」と笑う。強がりなのか本音なのか、僕にはわからなかった。


空き教室に入った。三〇六号室——演習のときに使っていた、小ぶりな教室だ。

「ここで授業受けたことあるんですか？」

「ああ……」

「大学って、座る席、決まってるんですか？」

「そんなことない。適当に座ってた」

「あのひと、どこに座ってました？」

最後列を指差すと、「あんまり真面目《まじめ》じゃなかったんだ」と笑う。

「出席カードに名前を書いたら、そーっと教室の後ろから出て行くんだ」

おおざっぱな性格の教授は、人数分以上のカードを「後ろに回してください」と配る。そういうときは必ず余ったカードをストックしておいて、授業の終わりにならないとカードを配らない教授の授業のときに使う。日付と学籍番号と名前を書き込んだカードを「これ、あとで出しといてくれ」と同級生に預けて、そのまま——ときには授業の始まる前に、教室から逃げる。

「やだあ、もう、サイテー」

最後列の席に座った亜弥はおかしそうに笑う。

「でも、けっこう失敗するんだ」教壇《きょうだん》から、僕は言う。「カードの右肩に斜めに切れ込みが入ってるんだけど、ときどき、その角度が変わるんだ。古いカードを出しちゃうと、一発でばれる。俺も伊藤も、しょっちゅう青くなってたな」

「ばかだねー、信じられない」

詰めれば四人座れる長テーブルを、亜弥ははずみをつけて叩《たた》く。

「ほんと、ばかだよなあ……」

「授業サボって、なにやってたんですか？」

「なにもしてないよ。喫茶店でお茶飲んだり、四人いれば雀荘《じゃんそう》に行ったり、あとはロータリーでうだうだ……」

亜弥は「せーしゅん、無駄づかいしてたんだ」と言って、いまのやり取りを反芻《はんすう》するように何度か小さくうなずき、「ちょっと、近くなった、気が、する」と言葉を刻んで言った。

「そういう話だったら、いくらでもしてやれるよ」

「ねえ、あのひと、授業中に居眠りとかしてた？」

「起きてる時間のほうが短かったんじゃないかな」

「じゃ、こんな感じ？」

亜弥は机に突っ伏して、そうそう、と僕は笑ってうなずいた。

だが、笑顔はすぐにしぼんでしまう。両手を枕《まくら》にして顔を伏せた亜弥の背中は、ロータリーで並んで座っていたときより、小さく見える。

亜弥は顔を上げず、僕に話のつづきをうながすこともなかった。

「自殺未遂の話、教えてくれないかな」と僕は言った。

「面白くないよ」

「……いいよ、それでも」

亜弥は机に突っ伏したまま、くぐもった声で、ときどき言葉を途切れさせながら、友だちとうまくいかなくなってからの日々をたどっていった。

一年生の終わり頃、仲良しグループがささいなことで二つに分かれてしまった。四人対三人。それぞれのリーダー格の子の名前をとって、「友紀《ゆき》ちゃん組」「香帆《かほ》ちゃん組」と亜弥は説明した。「友紀ちゃん組」にいた亜弥は、なんとかみんなを仲直りさせようと、「香帆ちゃん組」の子ともひそかにメールや電話で連絡をとっていた。それが、裏切り――ということになった。

四月になって二年生に進級すると、友紀と香帆はあっさり仲直りした。亜弥の仲立ちによって、ではない。亜弥をどっちにもいい顔をしていたコウモリと呼び、裏切り者に制裁を加えるということで、二つのグループは一つにまとまったのだ。

「言っとくけど、そういう話って、マジ、ふつーだからね。よくあることだし、だからけっこう大変だったりするんだけど」

元通りになった仲良しグループから、亜弥は一人だけ、はじかれた。六人対一人。「友紀・香帆連合軍」の中に、仲直りできるように動いてくれる子は誰もいなかった。

最初は、友紀と香帆以外の四人は、おずおずといじめに加わっていた。亜弥と目が合うと気まずそうにうつむいてしまうことも多かった。

「でも、怖いねー、慣れって。だんだん楽しくなってくるんだよね、一人の子をどん底まで突き落とすのって。いまなんて、友紀ちゃんや香帆ちゃんより、いちばんおとなしかった恵理香がいちばんカゲキだもん、やること。でもね、言っとくけど、いじ

め の中では、全然軽いほうだから」

恐喝されているわけでもないし、性的にいやなことをされたわけでもないし、あの六人以外の子とはそれなりにうまくやっている。だから――「おとなしくしてれば、いまごろは、もうみんな飽きちゃって、終わってたかもしれないんだよね」と肩を揺すって笑う。笑うとよけい声がくぐもって、揺れてしまう。

「でも、自分でも怖かったんだけど、わたし、死ぬ気になれるんだよね、そういう子なの。あのひとの娘だから」

自殺してやる、と六人に言った。あんたら一生後悔するんだからね、と脅した。四月の終わりのことだ。

「っていうか、脅しじゃなくて、かなりマジ。死ぬ気になってた。で、昨日も言ったと思うけど、カッターでリスカしてみたわけ。そしたら、できちゃうわけ。うん。これなら、わたし、いっちゃうな、って。いけちゃうひとなんだな、って。それを実感して、急に怖くなって……」

いじめグループは、ただの脅しだと受け取った。だからよけいカチンと来て、だったら早く死んでみてよ、と挑発するようになった――それが、いま。

「しつこいの、ほんと。うざったくて、むかつくわけ。で、むかつく自分が怖いわけよ、わたし。頭に来て、熱くなって、切れちゃうと、絶対にやっちゃうだろうな、って思うもん。今度はカッターじゃなくて、ナイフとか包丁で、しっかり血管まで切って……できる。マジ、できちゃう。こういうのって血筋だと思った。あのひとの子どもだもん、自殺のDNAが入ってるんだもん……」

僕は首を何度も横に振った。亜弥には見えないとわかっていても、僕自身のために打ち消したかった。

「亜弥は、いま、死にたいと思ってるのか?」

「思ってないよ」すぐに答えた。「いまは、ね」

「だったら……」

「でも、死ねちゃうひとなんだもん、それがわかったから、怖いわけ。死んじゃったあとに、やっぱり死にたくないって思っても、遅いじゃん」

亜弥は淡々とした口調で、つづけた。

「あのひとのこと、ずーっと知らなかったの。小学校を卒業するまで、パパがお父さんだと思い込んでた。ウチに仏壇もなかったし、ママもそんな話は一度もしなかったし、パパはすごく優しかったし、血液型も合ってたし……そんなの、想像もしてなかった」

中学に入るとき、たぶん両親はけじめをつけようと思ったのだろう、亜弥にすべてを打ち明けた。

「すごいよね、すごいと思わない？　いままで存在がゼロだったひとが、いきなり登場するわけ。思い出もなにもないのに、ただ、あんたの父親は自殺しちゃったんだよって……それしかないのよ、わたしにとって、あのひとの人生って。自殺だけ。好きになるとか憎むとか、できないよ、なんにもないんだから」

　ショックは――ないはずがない。

「だけど、はっきり言って、よくわかんない。ああそうなんだあ、わたしのほんとうのお父さんって自殺しちゃったんだあ、って。一年生の頃は、その程度だった。ガキだもん、こっちも。いまのほうが怖いよ。わたしの体にも、あのひとの血が流れてるって、それ思うだけで、死ぬほど怖くなるから」

亜弥はやっと顔を上げた。泣いてはいなかった。言葉を失った僕にかまわず、教室をまたあらためて見渡した。

「たくさん知りたい」つぶやくように言った。「あのひとのこと、たくさん知っとかないと、親子の絆《きずな》が自殺だけでした、なんて寂しいじゃないですか」

ふふっ、と笑う。机と椅子《いす》のサイズを確かめるみたいに、お尻《しり》をずらしたり、書き物をする姿勢をとったりして、僕に訊《き》く。

「ここに座ってた頃のあのひとって、いかにも自殺しちゃいそうな感じだったんですか?」

僕はゆっくりと言った。

「百歳まで生きると思ってたよ」

亜弥ではなく、僕自身でもなく、誰よりも伊藤に聞かせたかった。

そっかあ、と亜弥はうなずいた。「よかった」と安堵《あんど》したように肩で息をつき、それでつっかい棒がはずれてしまったのか、顔をゆがめて——泣きだした。

4

その夜から、僕は『伊藤真のお墓』の掲示板に、思いだすことをすべて書き送っていった。

〈伊藤くんはポテトチップスとハムサラダ（セブンイレブンのやつ限定。ポテトサラダにハムが何切れか載ったやつです）が大好きでした。煙草《たばこ》はセブンスター。お酒は、学生時代は純（焼酎《しょうちゅう》です）をグレープフルーツジュースで割ったのが好きでした。

会社に入ってからはウイスキーとビールが中心だったようですが、すぐに顔が赤くなるのは変わりませんでした。あと、嫌いなものは貝とキュウリとゆで卵の白身。大学の近所の食堂で昼飯を食べるとき、サラダのキュウリやゆで卵の白身は、いつも僕が貰《もら》っていました〉

亜弥も返事を掲示板に載せる。

〈うわーっ、ガキっぽい味覚！　好き嫌いが多い奴《やつ》ってダメですね〉

こんな調子で、やり取りがつづく。

〈伊藤くんの学生時代の夢は作家になることでした。書きかけの小説を何本か読ませてもらったこともあります。でも、とても残念なのですが、あいつの小説はすべて書き出しだけで終わっていました〉

〈なんか、その後の人生を暗示してません？〉――こういう、どきっとするようなことも書いてくる。

〈学生時代、僕は伊藤くんの先輩から5万円で買った中古のファミリアを乗り回していました。点火プラグの調子が悪くて、アクセルを踏み込むと爆竹のような大きな音（バックファイヤーといいます）が出るオンボロでしたが、伊藤くんとあちこちにドライブに行きました。遠出をしたのは千葉の房総半島一周と、富士山のスバルラインと、河口湖。ドライブのときは伊藤くんが持ってきたオリジナル編集のカセットテープをかけていました。一曲目は必ずユーミンの『ワゴンに乗ってでかけよう』で、中央自動車道で府中競馬場にさしかかると必ず『中央フリーウェイ』をかけるのです。でも、彼がいちばん好きなのは、風というフォーク・デュオで、『22才の別れ』とか『海岸通』とか『あの唄《うた》はもう唄わないのですか』とか『君と歩いた青春』とか……静かで暗い歌が多かったので、ドライブがなかなか盛り上がらなかったものです。ところで、その車（流星号と名付けていました）は、4年生の秋の終わりに伊藤くんに5000円で売りました。あいつは冬休みに流星号で颯爽《さっそう》と田舎に帰るつもりだったのですが、東北自動車道の福島を過ぎたあたりで、みごとにスピン、クラッシュ、廃車。伊藤くんにケガがなかったのが不幸中の幸いでした〉

〈そこで死んでくれてれば、悲しむひとが最小限ですんだのにね〉——もしも伊藤がいまも生きていたら、きっと亜弥の生意気さに手を焼いていただろう。

〈伊藤くんは学生時代、5人の女の子を好きになって、そのうち2人と付き合いました。残り3人は告白してふられちゃったのです。付き合った2人のうち、A子さんとは2年生の冬から3年生の秋の終わりまで、B子さんとは4年生の頭から卒業間際《まぎわ》まで。大学に入ったばかりの頃は、田舎の高校の後輩のC子さんと付き合っていたはずです。要するに、学生時代の彼は、いつも誰かを好きになっていた、ということになります。もちろん、遊び人だったわけではありません。ナンパが上手《うま》いわけでもない。でも、「好き」ということに素直な奴だったんだな、といまは思っています〉

〈ポイント上がりました〉

〈ふと思いだしたことがあるので書き込みます。2年生の冬だったと思うけど、いつも昼飯を食いに行っていた『カントリーハウス』で、伊藤の奴、レジの横にあった消火器につけつまずいて、消火器が倒れて、運悪くストッパーがはずれて、泡が四方八方に噴き出したことがあります。あいつ、あわてて逃げちゃって、あとでそーっと様子を見に行ったら、「都合により午後は閉店いたします」って貼《は》り紙がしてあって、そのあとしばらく落ち込んでいました〉

〈人間として許せないヤツですねー〉

〈僕が付き合っていた女の子と別れて（実質的にはふられて）がっくりしていた頃、べつに呼んでもいないのに、伊藤が夜中に突然訪ねてきました。終電で、わざわざ（僕の下宿には電話がありませんでした）。田舎から送ってきた荷物の中に入っていたから、とサントリー・ローヤルを提《さ》げて、コンビニで買った氷も持って、「飲もうぜ」と言ってくれました。あいつはそういう奴でした。でも、もし僕が留守にしていたら、

あいつ、どうやって帰るつもりだったんだろう〉

〈渡辺さんとあのひとって、ひょっとしてホモ？　でも気持ちはわかります。けっこう、いい奴じゃーん〉

毎晩必ず一度は掲示板に書き込んだ。

亜弥自身のことは尋ねなかったし、亜弥もなにも書いてこなかった。

僕にできるのは――それがどこまで役立つかはわからないが、とにかく伊藤の思い出を一つでも多く亜弥に伝えることだけだった。

〈2人で日雇いの肉体労働のアルバイトに行ったこともあります。高田馬場の駅の裏手の公園に、朝5時ぐらいに集まって、手配師のおっさんに「おまえはあそこ」「あんちゃんはあっち」と工事現場を振り分けられるわけです。遺跡発掘の現場にも行ったし、夜中に地下鉄の有楽町線も掘ったし、鉄道のレールを運ぶ仕事もやりました。給料は日払いで7000円ぐらい。べつにアパートの家賃が払えないとか、飯が食えないとか、そんな本格的な貧乏じゃないんだけど、なにかいつも「金が欲しー、金が欲しー」と言っていたような気がします。でも、貰った給料はその日のうちに服を買ったり、酒を飲みに行ったり、パチンコでスッたりして、間抜けなつかい方ばかりしてたなあ〉

〈お金があるとすぐにつかっちゃうところ、わたしと似てるかもしれない〉――初めて、自殺以外で伊藤と亜弥がつながった。

思い出を掲示板に書き込むことは、僕自身にとってもとても楽しかった。学生時代に戻ったような気分だ。ずっと遠くにいた伊藤と、ひさしぶりに会えた。思い出の中の僕たちは髪の長い若者で、自分がどんな人生を歩むのかなどなにもわからず、気楽に、けれど頼りなく、ふらふらと、へらへらと毎日を過ごしていた。僕たちは七月の子どもだった――始まったばかりの夏休みが永遠につづくと錯覚していた、七月の子ども。陽射《ひざ》しはまぶしく僕たちを照らしていた。僕たちは、ずっと相棒でいられると信じていた。

〈2人でめちゃくちゃに酔っぱらって、店を出て歩いているときのこと。どっちが言ったのか忘れたけど、「俺ら、ずーっとこんなことやってんのかなあ」という言葉が、記憶に残っています。自分でしゃべったのか伊藤の声を聞いたのか、よくわからない。ただ、夜空を見上げて、足元をふらつかせて歩いているときの言葉だった、ということだけ、くっきりと覚えています。あんまり意味はないと思うけど、せっかく思いだしたので、とりあえず書いておきます〉

亜弥は、〈ありがとう〉と一言きりの返事を書いてくれた。

祥子はあきれ顔で「いつまでつづけるの？」と言った。

六月――掲示板に書き込みを始めて二週間たっていた。帰宅後にパソコンに向かうのが日課になり、亜弥が待っていると思うと、酔って寝てしまうのが怖くて、酒の付き合いもすべて断ってきた。

「まあ……あの子の気がすむまでは付き合おうと思ってるけどな」

「自殺未遂の話、信じてるの？」

「だって、傷跡もあったんだから」

祥子は「カッターで手首を軽く切ってみるぐらい、誰でもすると思うけど」とため息をついた。「あんまり深入りして付き合わないほうがいいんじゃない？　突き放してあげるのもおとなの愛情だと思うけどね、わたしは」

言いたいことは、わかる。

それでも――「やっぱり、怖いよ」と僕は言う。

「なんで？　自殺なんて遺伝でもなんでもないじゃない。中学生の女の子と同じレベルになってるよ」

「でも、万が一ってこともあるだろ」

父親が生きてきた日々を亜弥の胸に刻んでやりたかった。僕よりずっと深く刻まれているはずの「ひとは簡単に死ねる」を塗り込めてしまいたい。一日でも途切れさせたくなかった。明日もまた新しい父親の姿を知ることができるというのを、亜弥が死の側に転げ落ちない支えにしたかった。

「『千夜一夜物語』じゃないんだから」

祥子は笑って、その笑顔を、不意に消した。

「それに、伊藤さんの思い出……ずっと書けるほど覚えてるの？」

食い入るように見つめる祥子のまなざしから、逃げた。

「中途半端《はんぱ》なところで打ち止めになっちゃうと、かえってよくないんじゃない？」

「……うん」

「どうなの？　まだストックたくさんあるの？」

「正直……キツくなってる」

悔しさを噛《か》みしめる。もっとたくさん覚えているつもりだった。伊藤のことならいくらでも思い出話ができる、と思っていたのだ。

祥子はまた笑い直した。今度の笑顔は寂しそうに、やわらかく。

「大学を卒業して何年？　もう二十年近いんでしょ？　忘れちゃうわよ、しょうがないのよ」

　違う。忘れているわけではない。伊藤は、ちゃんといるのだ。笑っている。「渡辺、なにやってるんだよお」と、声もよみがえる。なのに、たった二週間で思い出が尽《つ》きてしまう。それが悔しくて、悲しくて、伊藤に申し訳ない。

「半月もつづいたんだから、もうじゅうぶんだと思うよ。亜弥さんもお父さんのことが身近に感じられて、喜んでるって。だから、もう……」

「会社のひとに会ってこようかな、と思ってるんだ」

「伊藤さんの？」

「ああ。あいつが就職してからのことは、俺、ほとんど知らないから。ちょっと話を聞いてみれば、また新しい話が出てくるかもしれないし」

　祥子は納得しない顔で首をかしげたが、僕はつづけて言った。

「あと、あいつの田舎にも行ってみてもいいかもな。墓参りぐらいしたいし、お父さんやお母さんがまだ生きてるのかわからないけど、いちおう生まれ故郷なんだから、子どもの頃の伊藤を覚えてるひと、いると思うんだ」

「やめてよ、バカなことは」

「……なんでだ？」

「なんの意味があるわけ？　ひとの一生なんて、一人の友だちが丸ごと語れるわけないじゃない」

ぴしゃりと言った祥子は、「それにね」と声の調子を落として、言った。

「お父さんのことをほんとうに訊《き》かなきゃいけない相手って、あなたじゃないよ。お母さんが、ちゃんと話さないと、あの子も吹っ切れないと思う」

僕はうつむいて、唇を嚙んだ。

「わたしなら、お母さんに連絡して、相談してみるけどね」

祥子はそう言って席を立ち、「伊藤さんもそうしてほしいんだと思うけど」とつづけた。「父親なんだったら、ね」


掲示板の書き込みを、さらに一週間つづけた。思い出は絞り出さなければ浮かばなくなった。大学の同窓会名簿をテーブルに広げ、電話の受話器を握りしめたまま、名簿に並ぶ懐《なつ》かしい友だちの名前をじっと見つめる、そんな夜がつづく。

八日目の夜、初めて、大学を卒業したあとの僕たちについて書いた。

〈就職してからは、2人で会う機会は急に減ってしまいました。会社の場所も離れていたし、お互いに通勤に便利な街に引っ越したので、東京の西と東に分かれてしまって、学生時代みたいに気軽には会えなくなったのです。僕が暇なときには伊藤が出張で、伊藤が「飲まないか？」と誘ってくるときにかぎって、僕は急ぎの仕事を抱えていました。下っ端のうちは私用電話も大っぴらにはかけられず、受けるときにはもっと気をつかって、家に電話をかけてもお互いになかなかつかまりません。携帯電話やメールはもちろん、留守番電話すら、まだ贅沢品《ぜいたくひん》だった時代です。そしてなにより、僕にも伊藤にも、会社の仲間がいました。上司や先輩や同期の連中との付き合いが始まったのです。おとなの世界は、大学生の世界とは違う。もっと厳しくて、もっと奥が深くて、もっと幅が広くて、もっと面白かった。たまに2人で会っても、僕は僕の仕事の近況を話し、伊藤は伊藤の仕事の近況を話し、それぞれの話題は交わることがありませんでした。盛り上がらない。もう一軒行くか、という感じにならない。一軒目で過ごす時間でさえ、僕たちは持て余すようになっていました〉

そんなふうにして、僕たちは少しずつ離れていったのです——と最後に書いて、迷ったあげく、そこだけは消した。

翌日、残業を手早く終えてオフィスをひきあげようとしたら、春山に「一杯ひっかけないか」と誘われた。

掲示板のことを考えて「うん……」と煮えきらない返事をする僕に、春山は「なにかあったのか？」と訊いてくる。「最近、ぼーっとしてること多いだろ」

「そうかな……」

「悩みがあるんなら相談に乗るし、俺のほうも、ちょっと話したいことがあるんだ」

そこまでは同期としての言葉なのか上司としての言葉なのか判断がつかなかったが、「付き合ってくれ」とつづけた声には、はっきりと、上司の威厳があった。

営業三課の行きつけは会社のそばの居酒屋だったが、春山はタクシーを停《と》め、僕を下北沢に連れて行った。

「小田急の線路沿いに、落ち着いた店があるんだ」

「シモキタなんかで飲んでるのか」

「ガキの街もたまにはいいぜ、にぎやかで」

その言葉どおり、下北沢の街は若者であふれ返っていた。道幅が狭いので途中でタクシーを降りて駅まで向かう。いまにも雨が降りだしそうな曇り空の下、道いっぱいに広がって我が者顔にのし歩く連中、携帯電話でメールを打ちながら歩く女子高生、薄汚い色のジーンズの裾《すそ》をひきずる若者、地べたに座り込んで話をしている連中、その脇《わき》をスピードを落とさずにすり抜ける自転車、看板の電飾、雑貨店のお香のにおい、何重にもかさなりあう、ばらばらの音楽……。ほんの数分の道のりなのに、オフィス街とは違う種類の喧噪《けんそう》に包まれていると、頭がぼうっとしてきた。

「……歩くだけでも疲れちゃうな」

げんなりした僕に、春山は「慣れれば、なんてことないけどな」と笑う。「渡辺だって、若い頃はこのへんで飲んだりしてたんだろ？」

言われて、やっと一つ、伊藤との思い出を見つけた。

下北沢で酒を飲んだことはなかったが、伊藤と二人で本多劇場へ行って、「夢の遊眠社」の芝居を観《み》た。大学三年生の秋。作品は『小指の思い出』だった。僕も伊藤も演劇に興味はなかったが、その頃伊藤が付き合っていた女の子が野田秀樹《ひでき》のファンで、伊藤は次の週末に彼女と『小指の思い出』を観に行くことになっていて、要するに予習のために僕を付き合わせたのだ。

芝居はさっぱり意味がわからなかった。台詞《せりふ》はとんでもなく早口で、野田秀樹はステージの上でやたらと飛び跳ねて、場面は目まぐるしく変わり……唖然《あぜん》としているうちに幕が下りた。伊藤も同じだったのだろう、本多劇場を出て駅前の『王将』で餃子《ぎょうざ》定食を食べながら、何度も「ヤバいなあ、ヤバいなあ」とため息交じりに言った。そのときの途方に暮れた顔が、いまでも、ここに、だいじょうぶ、ここに、ほら、ちゃんとある。

今夜書く話が決まってほっとしていたら、春山が立ち止まったのに気づかず、店を通り過ぎてしまった。春山はあわてて僕を呼び止めて、「だいじょうぶか？」と眉《まゆ》をひそめる。「目が遠くにいっちゃってたぞ、いま」

店は生け簀《す》のある和食屋だった。春山は最初テーブル席に向かいかけたが、「やっぱりこっちのほうがいいかな」とカウンター席に移った。まっすぐに向き合わないほうがしゃべりやすい話――なのだろう。

四十歳にもなれば、上司から「話がある」と言われたときには、ほとんど条件反射のように身構える。ビールで乾杯し、世間話をしているときも、気は抜かなかった。

コース料理が半ばを過ぎた頃、春山は二杯目の冷酒を注文し、それが届くのを待って本題を切り出した。

「先週、局長と飯を食ったんだけどな……七月の異動で、営業部をがたがた動かさなきゃいけなくなった。営業の役付きから一人、どうしても外に出てもらわなきゃいけなくてさ」

背筋がひやっとした。

「一週間考えたんだ。いろんなことを組み合わせて、絞り込んで、それでも最後にもう一回考えて、やっぱりこれしかないっていう結論になって……」

春山は酒を啜《すす》って間《ま》をとり、「渡辺に出てもらう」と言った。

僕のほうを見ずに、早口に異動先を告げる。横浜にある関連会社への異動だった。一年目は本社からの出向という形だが、二年目からは転籍になる。自宅通勤はなんとかできる。肩書も部長に上がる——しかし、転籍後の給料は三割近く下がってしまう。

「ちょっと待てよ、それ、なんだよ……」

声が震えた。頰の力が抜けて、へらへらと笑う顔になってしまった。

「明日、部長がリストを人事部に出す。あさってには内示だ。その前に、いちおう耳に入れといたほうがいいだろうと思って」

「……おまえが決めたのか」

「そう言っただろ、さっき」

「なんでおまえが決めるんだよ」

「仕事だから」

突き放した言い方にカッとして、思わず腰を浮かせると、春山はそっぽを向いたまま、冷静な声で言った。

「いやなら、辞めろ」

僕たちは、それきりしばらく黙り込んだ。運ばれてくる料理から味が消えた。冷酒を飲むピッチが上がる。僕も、春山も。

デザートのビワをフォークの先でつつきながら、「初めてだよ……」と春山はぽつりと言った。「同期の奴《やつ》に引導渡したのって、初めてだ」

僕は小さくうなずいた。高ぶった感情は消え、静かな悲しみが胸に広がっていく。

「これから何度もあるんだろうな」と応《こた》えて、グラスに残った酒を飲み干した。「おまえがもっと出世して、いつか呼び戻してくれたら、それでいいよ」

春山は黙って笑った。かすかに首を横に振ったような気がした。

「なあ、渡辺」

「うん？」

「もう一軒付き合えよ、おごるから」

「いや……今夜は帰るよ」

「いいから付き合えって。餞別《せんべつ》に、俺のストレス解消法、教えてやるから」

伝票を手に立ち上がった春山は、「行くぞ」と僕を見た。

目が据《す》わっていた。

雑居ビルの中のカラオケボックスに入った。受付カウンターを素通りして、奥まった個室に向かう。「予約してたのか？」と僕が訊くと、春山は「まあな」と笑って、ドアを開けた。

部屋の中には少女が二人、いた。マイクを持って歌っている子と、ソファーでポテトチップスを食べている子。僕たちが入ってきても平然と歌いつづけ、食べつづける。二人とも高校生ぐらいの年格好だった。

困惑する僕にかまわず、春山はソファーに座って、ネクタイをだらしなくゆるめた。店員が持ってきた缶ビールを二本いっぺんにトレイから取り、一本を僕に差し出して、座れよ、と笑う。

ちょうど歌が終わった。春山は「こいつ、アキちゃん」と歌っていた子を指差して、「時給一万円」と言った。次の曲のイントロが流れる。アキちゃんからマイクを渡された子は、チコちゃん――「こいつも一万円」。

「……援助交際か？」

春山は「これのどこが交際なんだよ」と笑い飛ばす。「こっちが一方的に援助してやってるだけだよ、ODAだ、女子高生相手のODA、無償援助、ボランティア」

財布から一万円札を二枚出して、テーブルに置いた。アキちゃんは無表情に、コンビニの店員が代金を受け取るように、手を伸ばす。

「ヤバいことはなにもしてねえよ。下手くそな歌を聴いてやって、金払ってやって、それだけだ」

なんのために――と訊く前に、春山は「見てみろよ」とチコちゃんに顎《あご》をしゃくった。「若いっていいよなあ、そう思わねえか？　きらきらしてるよ、なあ、十五だぜ、こいつら、生まれてから十五年しかたってねえんだからな、きれいなもんだ」

僕もしかたなくチコちゃんに目をやった。黄色く染めた髪に黒い髪が交じり、短いスカートから伸びる脚は膝《ひざ》小僧が目立たないほど太かった。春山が言うほどきれいだとは思わないし、きらきらと輝いているとも思わない。ソファーにあぐらをかいてジュースを飲むアキちゃんも似たようなものだ。

それでも、春山は上機嫌に「いいよなあ、ほんと、こいつら見てると、すげえハッピーになるよなあ」と間延びした声で言う。

「よくわかんないけど……なんなんだ？　これ」

「俺にもわかりませーん」

「……ストレス解消できるのか？」

「だってよお、渡辺、見てみろよ、こいつら。若いだろ？　ガキだろ？　なーんにも考えてねえよ。頭の中、空っぽだよ。人間としての価値、若いってことだけ。こういうの見て、おまえ、どう思う?」

「どう、って……」

「笑っちゃうだろ? 理由なしで、なんかもう、笑うしかねえだろ、こんなもん」

わからない。ただ、春山の笑顔はほんとうに心地よさそうだった。なにも構えるもののない、芯《しん》の溶けた、ふにゃふにゃの笑みを浮かべていた。

僕はあらためてチコちゃんとアキちゃんを見た。チコちゃんは高いキーの歌を、体をよじって、悲鳴のような声で歌う。アキちゃんはポッキーを煙草《たばこ》のようにくわえて、分厚い歌本をめくる。初対面の僕にはなんの関心もないようだし、春山に対しても、ちらりとも目を向けない。僕たちの存在は、ただの風景――ただの物なのかもしれない。

僕も思いを持つのをやめた。目から力を抜いて、壁紙や床のタイルと同じように二人を眺めた。厚みが消える。輪郭がにじむ。アキちゃんとチコちゃんの名前も消え、存在も失《う》せて、最後に若さだけが残る。温度によって色分けされたサーモ・カメラの映像を思いだした。温度の低いところは青くなり、高いところは黄色から赤へのグラデーションになる。赤い塊が、四畳半に満たないほどの狭い部屋に、二つ。若さの塊が剝《む》き出しになって、ごろん、とある。

つぶやくような春山の声が、にぎやかな演奏の下をもぐって、驚くほどくっきりと耳に届いた。

「こいつらバカだからなーんにも考えてないけどさ、一瞬なんだ、一瞬しかもたねえんだよ、こんな若さ。かわいそうだよなあ、哀れだよなあ、歳《とし》なんてとったって、なーんにもいいことねえもんなあ。でも、それ考えてないから、こいつら、いいの。てめえらの幸せがわかってねえの。バカだねえ。バカだから、いいねえ、気持ちいいねえ、サイコー……」

若さの塊は、ひとの形には戻らないまま、うごめきつづける。

歌が終わると、春山は「おう、おまえら」と二人に初めて声をかけて、僕を紹介した。

「おじさんの会社の、同期の奴。キムラタクヤさん」――「部下」とは言わなかった。

二つの若い塊はおざなりに会釈《えしやく》をしただけで、片方は歌に、片方はスナック菓子に、すぐに戻っていった。春山は、へへっ、へへっ、と笑って、ビールを呷《あお》る。僕を振り向いて、「若いエキス吸っとけよ、まだ老《ふ》け込むわけにはいかねえんだからな、おまえも」と肩を叩《たた》いてくる。

だが、そう言う春山のほうがずっと——会社にいるときよりもはるかに、老け込んで見える。僕はどうなのだろう。二十六歳で年老いることを止《や》めてしまった若者の目に、四十歳の男はどんなふうに映るのだろう。ビールを勢いをつけて飲んで、泡を喉《のど》にひっかけてむせ返った。咳《せ》き込むと目に勝手に涙がにじむ。

春山は、歌のリズムとまるで合わない手拍子を打ちはじめた。マイクを持った若い塊は、それを邪魔にすることもなく英語交じりの歌を歌いつづける。きっと、春山の手拍子など、はなから聞こえていないのだろう。

「帰るから」と声をかける僕を、春山は引き留めなかった。代わりに、「部長から内示がいくから」と念を押して言う。「その前に俺から聞いてたっていうのは、絶対に内緒だぞ」

「ああ……わかってる」

「残したかったんだ。渡辺以外の奴で出せそうなのを捜してみたんだ、必死に」

春山はそう言って、「信じてくれないと思うけど」と付け加えた。

「信じてるよ」

「……送別会は、俺が仕切るから」

サンキュー、と僕は口の動きだけで返した。

店を出ると、外は雨だった。まだ降りはじめで、街には埃《ほこり》のにおいがたちこめていた。傘を持っていない若い塊が何人も、駅に向かって駆けていく。

僕はバッグから折り畳み傘を出して、歩きだす。頭から雨に濡《ぬ》れて歩くことは、もう何年もない。歩きながら煙草を吸った。伊藤が死の間際《まぎわ》に吸った煙草の、想像のつかない味を、想像する。今夜ぐらいはそれも許されるんじゃないか、と思う。


掲示板を開くと、前夜の書き込みへの返事は入っていなかった。かまわない。僕は背広姿のままパソコンの前に座り、頭の中で文章を組み立てる間もなくキーボードを叩いていった。

〈伊藤の結婚式のとき、僕は学生時代の友人代表でスピーチをした。でも、二次会で新郎新婦のまわりを固めていたのは、会社の同僚だった。僕は会場の隅のほうで大学の友だちと盛り上がり、伊藤と直接話をしたのは、会がお開きになって、出口で出席者を見送る新郎新婦と挨拶《あいさつ》をしたときだけだった。なにをしゃべったのかも覚えていない。でも、僕の結婚式に伊藤が来てくれたとしても、同じようになっていただろう。

僕たちは学生時代のいちばん仲のいい友だちだった。でも、もう、現役の友だちではなかった。現役ではなくなったから、「親友」と呼ばれても照れくさくなくなったのかもしれない。最後に会ったときも、僕たちの距離は縮まらなかった。いまにして思えば、「ひさしぶりに会おうぜ」と電話したのは、虫の知らせだったのかもしれない。あいつが付き合ってくれたのは、お別れを告げるつもりだったのかもしれない。でも、その夜、あいつはなにも言わなかった。僕もなにも訊《き》かなかった。僕たちは自分のことで夢中だった。競技場のトラックを一周したマラソンランナーは、公道に出てしばらくたつと、いくつもの集団に分かれる。僕と伊藤は別々の集団にいたのだろう。どっちが先を走っていたのかはわからない。ただ、伊藤は途中で棄権して、僕は完走を目指して走りつづける。上位入賞の夢は閉ざされ、レース前に思い描いていた自己記録の更新もあきらめて、ただ完走だけを目標に走る。それになんの意味があるのかは知らない。僕は走っているのではなく、足を止めることができないだけなのかもしれない。わけのわからないことを書いてしまいました。要するに言いたかったことは、伊藤が死んだ頃には、もう僕たちは現役の友だちではなかったということで、僕はいま、伊藤が死んだことよりも、そっちのほうが悲しくてしかたないのです〉

読み返さずに送った。

亜弥の返事は、翌日の夜になっても来なかった。その日は朝から雨が降りつづいた。次の日も、雨。気象庁は関東地方の梅雨入りを発表した。

亜弥は返事をよこさない。僕も新しい書き込みはしない。

四日目にようやく雨は上がり、朝一番で出向の辞令を受け取った僕は、午後から年休をとった。

郊外に向かう電車に、乗った。

5

住所を頼りに訪ねた店は、こぢんまりとした、いかにも家庭的なたたずまいのレストランだった。午後二時までのランチタイムが終わりかけていたが、店内にはまだ客のいる気配がした。休憩時間に出直したほうがいいだろうか、と迷っていたら、ドアが内側から開いた。

香織さんが出てきた。白いブラウスに黒のパンツ姿。十四年前の記憶よりも、パソコンの画面で見た記憶のほうにつながった。

香織さんはランチメニューを書いた黒板を五時からのディナーメニューに取り替えて、雲行きを案じるように空を見上げ、だいじょうぶかな、とうなずいて――僕に気づいた。

訝《いぶか》しさを愛想笑いで隠して小さく会釈した香織さんは、僕が会釈を返すと、「すみません、ランチもう終わりなんです」と申し訳なさそうに言った。

「……渡辺、といいます」

「はあ？」

「伊藤真さんの、学生時代の友人です」

一瞬――ほんとうに一瞬だけ、香織さんの顔がこわばった。それがつまり、いまの彼女が幸せな日々を過ごしているという証《あかし》なのだろう。

「亜弥さんのことで、ご相談したいんです」と僕は言った。

香織さんは、今度ははっきりと顔をこわばらせて、ドアを開け、「どうぞ」と僕と目を合わさずに言った。

最後の客が食事を終えるまで、店の隅のテーブルでエスプレッソを飲みながら待った。香織さんは厨房《ちゅうぼう》に入ったきり出てこない。招かれざる客だ。それくらい、わかっている。エスプレッソが苦い。あきれられるのを覚悟で、サングリアにしてもらったほうがよかったかもしれない。

二時半近くなって、ようやく最後の客が帰った。「美味《おい》しかったわ」「またね」と初老の婦人たちがレジの香織さんに声をかける。街に馴染《なじ》み、地元のひとに愛されて、たぶん伊藤を思いだすことも減って……幸せなのだ、と嚙《か》みしめた。

厨房から野口さんが出てきた。インターネットの写真よりさらにがっしりとした体つきで、写真どおりに穏やかそうな笑みを浮かべていた。

「初めまして、野口です」

よく通る声で挨拶《あいさつ》して、僕の向かい側に座る。その隣に、香織さんが、うつむきがちに腰を下ろす。話を切り出そうとした香織さんを制して、野口さんが言った。

「亜弥のお知り合いなんですって?」

「はい……」

「どこで知り合われたんですか?」

正直に、すべてを話した。野口さんは最後まで黙って聞いてくれた。途中で何度か香織さんが口を挟みかけたが、そのたびに野口さんは、いいんだ、というふうに香織さんの手の甲に分厚い手のひらを重ねた。

話が終わると、野口さんは「ちょっと失礼」と席を立ち、レジの奥の棚からノートパソコンを持ってきた。

「メニューの研究に使ってるんですけどね、近いうちに店のホームページも開こうかと思って。でも、亜弥に先を越されちゃったんだなあ」

通信カードを挿し、ブラウザを立ち上げながら、苦笑する。強がりではなさそうな素直な笑顔が、僕が『伊藤真のお墓』を見つけたときの検索語を知ると、やるせないしかめつらに変わる。

伊藤の顔が画面に表示された。香織さんは目を伏せたが、野口さんはまっすぐに見つめた。

「再婚するときにね」野口さんは画面から目を離さずに言った。「彼女、前のご主人の写真をぜんぶ捨てるって言ってくれたんですよ。でも、そういうのはね、やっぱり……よくないと思ったんです。亜弥のために残しておかないと」

僕は黙ってうなずいた。

「優しそうな顔ですよね。でも、ちょっと線が細いかな」

これも、黙ってうなずいた。嘘《うそ》やきれいごとだとは思わなかった。

野口さんは掲示板を読んでいった。ときどきクスッと笑ったり、やれやれ、と肩をすくめたりしながら、うつむいたままの香織さんの手の甲をつついて「読んでみなよ」とうながしたが、香織さんは強くかぶりを振るだけで、最後まで画面に目を向けようとはしなかった。

掲示板を読み終えた野口さんは、なるほどねえ、と椅子《いす》の背にもたれて、天を仰いだ。

「僕のメッセージで終わってますか」と僕が訊くと、天井を見上げたままうなずいて、

「渡辺さんの書き込みが、つづけて二つ。返事はありません」と言った。

「亜弥さんは、いま……」

「病院です」

さらりと──天井に向かって、言った。

「学校の、校舎の二階から飛び降りたんです」

香織さんの肩が痙攣《けいれん》するように震えた。うつむいた顔から、涙が、ぽとぽととテーブルに落ちる。うめき声が漏れる。嗚咽《おえつ》をこらえ、洟《はな》を啜《すす》りながら、切れ切れに「ごめんなさい」を繰り返していた。

一週間前の出来事だった。

「だから」野口さんは包丁で野菜を刻みながら言った。「渡辺さんの書き込みは二本とも読んでませんよ、まだ」

放課後だった。教室でいじめグループに囲まれて、「死んでみろ」と言われた。「死

んでやる」と言い返した。そのまま教室を飛び出して、ベランダの手すりを乗り越えて、落ちた。

「最初にそれを聞いたときは、ほら、売り言葉に買い言葉っていうか、言葉の綾《あや》でカッとなったっていうか、そういうんだと思ってたんですよ。でも、あなたの話をうかがって、やっと根っこがわかったような気がします」

いまさら遅いんですけどね、と野口さんは寂しそうに笑う。包丁の音のリズムは変わらない。それが逆に、悲しみの深さを伝える。ディナーの下ごしらえだった。すみません、いまからかからないと間に合わないんで、話のつづきは厨房とカウンターでどうですか、そのほうがしゃべりやすいし聞きやすいし――野口さんの言うとおりだった。

亜弥は右脚の膝《ひざ》と臑《すね》を骨折した。全治二カ月。

「足から飛び降りたんですよ、あの子。これが頭からだったら、二階とはいっても、この程度じゃすまなかったでしょうね」

「ええ……」

「勝ち気で、短気なんです。だから、よく冗談で、キレてナイフで刺したりするなよ、なんて言ってたんですけどね……それが自殺のほうに出ちゃうとは……思わなかったなあ、まったく」

　店内には、僕と野口さんしかいない。香織さんは泣きながら病院に向かった。野口さんが行かせた。渡辺さんのこと、亜弥には黙ってろよ、と釘《くぎ》を刺して。

「あいつね」――香織さんのこと。

「病院から最初に電話を受けたあと、パニックになっちゃったんですよ。やっぱりね、前のご主人のときにも警察から電話がかかってきたらしいし、忘れることなんてできませんよね」

　亜弥が運び込まれた大学病院で、香織さんも点滴を受け、精神安定剤を処方された。昨日までは店にも出られなかった。もしも亜弥がもっと重い怪我《けが》を負っていたら、あるいは最悪の結果になっていたら、香織さんの心は粉々に砕け散っていただろう。

　野口さんは刻んだ野菜を寸胴鍋《ずんどうなべ》に入れ、クーラーボックスから魚を出しながら、「亜弥のいじめのこと、僕はなにも知らなかった」と言った。「父親失格ですよね、ほんとに」

　前夫の子どもだから、という距離を置いたつもりはなかった。だが、亜弥が思春期にさしかかると、踏み込んではならない壁を感じるようになっていた。

「学校をときどき休んでたことも、あとになって初めて香織に聞かされたんです。僕にはしゃべってくれなかった、香織も、亜弥も」

どん、という音が響いた。まな板に載せた一尾丸ごとの魚の頭を、包丁で落とした音だった。

「悔しいです、すごく」

野口さんはそう言って、手早く魚をおろしていった。

「心配させてくれたっていいじゃないですか、ねえ？」

僕は黙って、小さくうなずいた。

「渡辺さんには、いろいろとご迷惑をおかけしました」

「いえ……」

「あとは、もう、僕らに任せてください」

それはそうなのだ――親なのだから。だが、僕は、親になれなかった男の友人だった。

「一つだけ、お願いがあります」と僕は言った。

野口さんは魚のワタを抜き取って、ポリバケツに捨てた。

「伊藤のこと……僕が思いだせるものは、ぜんぶ書きました。でも、足りないんです。亜弥さんに伊藤のことを、ぜんぶは教えてあげられないんです」

まだ、伊藤は「父親」になっていない。亜弥とつながっていない。

「香織さんに話してもらってほしいんです。結婚してからの伊藤のことを、亜弥さんに教えてあげてほしいんです」

野口さんは、魚を三枚におろすと包丁を毛抜きに持ち替えて、「お断りします」と言った。静かだったが、ぴしゃりとドアを閉ざすような声だった。

「友だちはいいですよ。十四年もたつと、都合の悪いことは忘れられる。でも、家族は違うんですよ。何年たっても消えないんです。楽しかった思い出は忘れても、いちばんつらい思い出だけ、ずっと残っちゃうんですよ」

「それはわかります。でも……」

「香織につらいことを思いださせないでやってください。伊藤さんはそれで本望かもしれないし、あなたも友だちとして満足するでしょうけど、こっちはいい迷惑でしょう？　はっきり言って、僕、憎んでますよ、伊藤さんのこと。ほんとに、考えるだけで身震いするぐらい、腹が立ってしょうがないんです」

まな板に顔を寄せて魚の小骨取りにとりかかった野口さんは、しばらく黙り込んだあと、毛抜きを細かく動かしながら言った。

「今夜、魚料理を頼んだお客さん、かわいそうだなあ」

顔を上げ、僕を見て、つまらなさそうに笑う。

「小骨を抜くのってね、単純だけど難しいんですよ。気持ちが落ち着いてないと、絶対に取り残しが出ちゃうし、骨を抜くときに身が崩れちゃう」

ほら、と右手を僕に見せた。小さなピンセットのような毛抜きの先がカチカチと震えていた。

店を出ても駅にまっすぐ戻る気にはなれず、街をあてもなく歩いた。

この街で亜弥は育った。この街で、野口さんと親子の日々を過ごした。野口さんは優しい夫だった。きっと優しい父親でもあるだろう。幸せじゃないか、と亜弥に言ってやりたい。おまえ、こんなに幸せなのに、なんで伊藤なんかにけつまずいちゃうんだ？

あてもなく——というのは、途中から嘘になった。住居表示図や電柱に巻きつけられた看板から、大学病院の名前を知り、場所の見当をつけた。歩くには遠すぎたが、タクシーを使う気にはなれない。バスの走っていそうな片側二車線の道路に出て、しばらく歩くと、バス停があった。路線を確かめると、うまいぐあいに大学病院も通る。

ベンチに座った。煙草《たばこ》をくわえ、火を点《つ》けずに、ぼんやりと梅雨の晴れ間の空を見上げた。伊藤の思い出を探してみたが、もう新しいものはなにもよみがえってこない。語り尽くしてしまった。十八歳で知り合って、二十六歳で別れて、合計八年間の付き合いのうち、現役の「相棒」だったのは前半の四年間だけ。ほんの短い日々だったんだよなあ、とあらためて思う。そして、伊藤が死んだあとも時間は流れる。世の中はつづく。あたりまえのことが——あたりまえだからこそ、胸を締めつける。

バスが来た。僕は立ち上がらない。停まったバスの乗車口が開く。僕はベンチに座ったまま、フィルターが湿った煙草にようやく火を点けた。乗車口のドアを閉ざし、ひときわ大きく身震いしたバスのボディには、生命保険の広告が出ていた。

バスが走り去ったあとも、僕はベンチで煙草を吸った。伊藤にならって三本たてつづけに吸ってみようかと思ったが、ヘビースモーカーというほどではない僕の喉《のど》は、最初の一本を灰にしただけでいがらっぽくなった。話す相手のいないときの煙草は、吸い込む煙がふだんより濃い気がする。煙を吐き出すときの息は、そのままため息になりそうだし、つぶやき声を乗せるのも簡単そうだった。伊藤は非常階段の踊り場で、なにかをつぶやきながら煙草を吸っていたのだろうか。

煙草があらかた灰になり、ベンチの背に針金で結わえられていた空き缶の灰皿に吸殻を捨てたとき、大学病院のほうからのバスがやって来て、向かい側の停留所に停まった。こっち側のバスは、次はいつ来るのだろう。今度は乗るのか、またやり過ごすのか、まだ決めていない。

バスが発車する。走り去る。視界がふっと開けた先に、バスから降りた数人のひとがいる。

こっちを見ているひとが一人——香織さんが、「どうして?」という顔で、困惑したまま僕に会釈《えしやく》をした。

こっちに来ようとする香織さんを制して、僕のほうから車道を渡った。

バスの窓から僕の姿を見つけて、あわてて降りたのだという。「ほんとは三つ先なんですけど」と通りの先に目をやった香織さんは、「さっきはすみませんでした、ろくに挨拶《あいさつ》もできなくて」とまた頭を下げた。

「さっき、病院を出るときに店に電話したんです。まだ渡辺さんがいるんなら帰らないほうがいいかなって。でも、十分ほど前に帰ったって……」

「ご迷惑をおかけしました、ほんとに」

「そんなことないです。亜弥のほうがずっと渡辺さんにご迷惑かけてて……主人も、そのお詫《わ》びを言い忘れてたって、さっき電話で言ってました」

僕がバス停にいた理由を、香織さんは訊かない。僕も話さない。言い訳になってしまうのが嫌だったし、たぶん僕はもう病院へは行かないだろう。

どちらからともなくベンチに腰かけた。僕は二本目の煙草に火を点ける。ポケットから出したセブンスターのパッケージをちらりと見た香織さんは、「主人は煙草吸わないんです。そういうひとがいいな、って思って」と言った。

「僕も、いつもはマイルドセブンのスーパーライトなんですけど……やっぱりキツいですね、これ」

端折《はしよ》った言葉はたくさんある。僕にも、香織さんにも。

香織さんは問わず語りに、伊藤が死んでからの実家どうしのトラブルをいくつか話し、いまはもう完全に絶縁状態なのだと言った。位牌《いはい》は亜弥がものごころつく前に伊藤の実家に返し、七回忌までは一人で出かけていた墓参りにも、もう七、八年行っていない。これからも、たぶん。

「主人は、一度は亜弥を連れていったほうがいいんじゃないかって言ってるんですけど、本人のほうが、そんなのしなくていいよって言うし、まあ、お墓参りしても、とにかくなんの思い出もないわけですから……」

「亜弥さんにずっと教えないままでいる、というのは考えなかったんですか？」

「わたしは、そのつもりでした。でも、主人のほうが、やっぱり、それはよくないだろう、って……」

　男らしすぎるんですよね、と苦笑する。

　そしてまた、問わず語りの話がつづく。

　野口さんと出会ったのは、伊藤の三回忌の頃――亜弥はまだよちよち歩きの子どもだった。野口さんのプロポーズを受けたとき、香織さんは一つだけ約束してほしいと言った。ひとりぼっちで死を選ばないで。とてもシンプルで、とても簡単な約束だった。「それができないようなひとは、人間のクズですよね」と香織さんが笑ったので、僕も「クズです、ほんとに」と笑い返した。

「でも……」香織さんは、さっきの僕のように空を見上げる。「そういうふうにわたしが思ってたのが、亜弥にとっては、よくなかったんですかねえ」

「伊藤の話、お母さんからほとんど聞いてないって、亜弥さん言ってました。訊《き》いても教えてくれないんだ、って」

「だって、勝手に死んじゃったひとですから」

「……結果は確かにそうですけど」

「遺《のこ》された人間にとっては、結果がすべてじゃないんですか？」

　わからない。わかったふりをする資格は、僕にはないんだと思う。

「渡辺さん、わたしね、もし、たった一つだけ奇跡を起こせるんなら、神さまにお願いしたいことがあるんですよ」

伊藤に死を思いとどまらせること——ではなかった。

「いまの主人が亜弥のほんとうの父親だったらいいのにって、いつも思ってます。それが無理なら、せめて、主人に亜弥の赤ちゃんの頃の思い出をつくらせてあげたいって……ずっと思ってるんです」

僕の胸の内を見抜いたように、香織さんは「ひどいですよね」とつぶやいた。「自分でも思います、ほんとに、ひどい……」

僕は黙ってかぶりを振る。伊藤もきっとそう望んでいるだろう。しょうがないよな、俺が悪いんだから、と寂しそうに笑っているのかもしれない。

香織さんは腕時計に目をやって、立ち上がった。

「今日のこと、亜弥には話していません」

だから、と話はつづいた。

「申し訳ないんですけど、もう亜弥には会わないでもらえませんか」

煙草の先の灰が、ぽとん、と足元の地面に落ちた。

今日は自分も混乱しているので、明日、落ち着いて亜弥と話をして、ホームページは閉鎖させる。野口さんと亜弥にゆっくり話をさせて、亜弥を苦しめているつまらないこだわりを捨てさせて、いじめの件もあるから転校することも考えて、もう一度やり直してみたい。香織さんは早口にそんなことを言って、最後にあらためて、僕に頭を深々と下げた。

僕をベンチに残して、香織さんは歩きだす。何歩か進んだところで立ち止まり、「バス停一つぶん歩きます、そうしたら、ちょうどいい時間になるから」と振り向いて言って、「こっち側で待ってたら、タクシー、けっこう通りますよ」と付け加える。

また歩きだした香織さんを呼び止めた。「一つだけ、教えてください」と言うと、香織さんは足を止め、顔だけこっちに向けた。

「伊藤と出会ったこと、悔やんでますか」

香織さんは少し考えてから、「はい」とうなずいた。

きっぱりとした口調だったが、まなざしがすっと横に逃げる。前に向き直って歩きだす足の運びが、少し早くなったように感じた。

声をかけても届かない距離になってから、僕は煙草をベンチの背の空き缶に捨てた。胸に残った煙をゆっくりと吐き出すと、最後はため息になった。

6

一週間が過ぎた。『伊藤真のお墓』はまだ閉鎖されていなかったが、僕は掲示板の書き込みをやめた。亜弥からの連絡もない。いまも病院だろうか。香織さんは伊藤のことをどう話したのだろう。亜弥は納得したのか——なんとなく、無理だろうな、という気もするけれど。

僕も、その一週間は仕事の引き継ぎや挨拶回りでひどく忙しかった。そのほうがいい。気が紛れる。忙しさの合間、ふっと気を抜いてしまうと、片道切符の出向を知らされたときの祥子の顔が浮かんでくる。啞然《あぜん》として、呆然《ぼうぜん》として、なにかに逃げ込むように笑って、「信じられない……めちゃくちゃじゃない、それ」とつぶやいて、テーブルに両肘《ひじ》をついて頭を抱え込んでしまったあとの表情は、わからない。

転籍後の月収は三割減という話すら、春山の希望的な予測にすぎなかった。出向先に挨拶に出向いたときの感触からすると、四割……へたをすれば半減、もありうる。目先の生活はもちろん、大げさに言うなら、人生設計が根底から崩れてしまった。四十歳。一からやり直すのは難しそうだし、しかたないんだとあきらめて過ごすには先が長すぎる。いちばん中途半端《はんぱ》な時期にハシゴをはずされてしまった。

これが二十六歳のときだったら――。

伊藤が死を選んだのと同じように、なにか大きな決断をすることもできたかもしれない。

もっと若ければ、もっともっと若ければ……と時間をさかのぼっていくと、下北沢で会った二人の少女の姿も思いだしてしまう。ほとんど表情らしい表情のなかったあの二人は、自分たちの若さを幸せだと感じることのないまま、年老いていくのだろうか。死んでしまってから、初めて、ああさっきまで自分は生きていたんだ、と気づく――のかもしれない。


さらに一週間過ぎた。『伊藤真のお墓』はまだ、インターネットの網の目の隅っこにひっかかっている。

祥子は仕事を探しはじめた。いまからパートタイムや臨時雇いで働いて、僕が出向先に転籍になる来年から正社員へ移れるような、そんな虫の良すぎる勤め口を探して、求人誌に読みふける。

転職は、僕も考えていた。つてを頼って、人事担当者と会った会社もいくつかある。

だが、どれも、話はそこから先へは進まなかった。

六月がもうすぐ終わる。出向まで、あとわずか。総務課から積立金や保険関係の書類が回ってきて、出向先の会社からは定期券の区間の確認のメールが入り、春山は僕と目を合わさなくなってしまった。

今年の梅雨は雨が多い。たとえ雨が降っていなくても、空にはたいがい暗い色の雲が垂れ込めて、街ぜんたいがじっとりと湿っている。

気が滅入《めい》る。なにをやっても、鈍い痛みにも似た重さが肩や背中に貼《は》りついている。伊藤のことはあまり思いださなくなった。思いだして、あいつの自殺のことに考えが至って、煮詰まってしまうのが怖かった。

ひとは、どんなときに死を選んでしまうのだろう。絶望でも悲しみでも、借金でも身内の不幸でも失恋でもなんでもいい、自殺に価《あたい》する条件が揃《そろ》ったとき、なのだろうか。そんなに割り切れるものではないような気がする。コップの水は満杯になってからあふれてしまうわけではない。ほんのわずかでも、コップそのものが傾いてしまえば、こぼれる。

誰のコップも、決して空《から》っぽではないだろう。コップは揺れている。きっと誰もが、それぞれの振り幅で。

僕のコップは、いま、どれくらいの角度になっている？　通勤の電車で隣り合ったひとは？　通過駅のホームにたたずんでいるひとは？
亜弥――きみは、どうだ？

三週間目に入った、その最初の夜、『伊藤真のお墓』に書き込みがあった。
〈渡辺さん　お目にかかれませんか。午後三時から五時までなら毎日、私一人で、店にいます〉

翌日『ロス・プラトス』に出かけると、約束どおり、野口さんは一人きりでディナーの仕込みをしていた。ドアを開けると、厨房《ちゅうぼう》から少し驚いた顔を出して、「すぐに来てくれたんですね」と笑った。このまえ会ったときと同じ、ひとなつっこい笑顔だった。
「伊藤さんに間借りしたみたいな感じで、ちょっと申し訳ないことしちゃったんですけど」――僕の連絡先がわからなかったので、しかたなくホームページを使った。僕が毎日アクセスしているだろうと、これはなんとなく自信があったのだという。
「渡辺さん、お昼はもうすませました？　中途半端な時間なんですけど、もしよかったら、軽く召し上がっていきませんか」

「……食前酒付きでもいいですか」

喜んで、と野口さんは髭面《ひげづら》をほころばせた。

「いま、香織は病院なんです。この時間ぐらいしか亜弥に付いててやれないんで」

「足の具合、どうなんですか？」

「なんとかね、夏休み前には退院できそうです。しばらくは松葉杖《づえ》になっちゃいますけど、本人も、もう退屈しきってるんで」

カウンター席に座った僕の前に、サングリアのグラスが置かれた。「自家製なんです」と言う野口さんの手にもグラスがあった。

目としぐさだけで乾杯をして、甘酸《あまず》っぱいサングリアを一口啜《すす》った。悪くない。甘さはすっきりとしていて、苦みはまろやかだった。

「食事はパエリアと、あと、今日はスズキのいいのが入ってるんで、グリルにしましょうか」

「魚料理、今日はだいじょうぶなんですか？」

野口さんは笑いながら「下ごしらえ、ばっちりです」と言った。僕はサングリアを、さらにもう一口。ほろ酔いというほどではなくても、瞼《まぶた》がぼうっとゆるむのを感じた。

「亜弥のいじめのこと……もうだいじょうぶみたいです。二階から飛び降りたってことで、みんなに一目置かれたらしいんですよ。根性あるとか、勇気あるとか、感動のメールがたくさん入ってたって」

　野口さんはそう言って、笑顔のまま「でも、勇気や根性なんですかねえ、そういうの」と首をひねった。

「度胸は、あるのかもしれませんけどね」

「度胸かあ……うん、それはあるかな。でも、それって臆病《おくびょう》な度胸ですよね。僕はそう思いますけどねえ」

　僕も同じだ。伊藤も、ここにいたら、きっとうなずくだろう。

「毎晩、病院に行ってるんです。店のラストオーダー受けたあと、大急ぎで。面会時間は過ぎてるんですけどね、うまいぐあいに整形外科の先生や看護婦さん、ウチの店の常連さんなんで、そこは融通利《き》かせてもらってます」

　昔話ばかりしている。ライバルは――「伊藤さんですよ、負けたくなくてね」と、また笑う。

「僕にだって青春あるんですからね、負けてられませんよ。高校時代にサッカー部だったことや、隣の工業高校の連中とケンカして警察のお世話になったことや、その頃付き合ってた女の子のことも、もう、古いアルバムとか年賀状まで引っぱり出して、こっちの思い出も総力戦で勝負です」

腕を折り曲げて力こぶをつくる。

「亜弥さん、喜んだでしょう」

「だといいんですけどね。でも、フランスからスペインに貧乏旅行したときの話なんて、けっこうウケてました」

「あの子、そういうの好きそうですもんね」

「冬休みにスペインに連れていくって約束しちゃいました」

ちょっと胸を張って言って、「女房にはまだ言えないんですけどね」とおどけて肩をすぼめる。

そして、バットに置いたスズキを香草で覆《おお》いながら、僕を呼びだした理由を――。

「ゆうべ、とうとう最後まで来ました。亜弥に初めて会った日の前の晩、緊張して眠れなかったことを話して……今夜からは、もう、僕と亜弥の思い出になります。細かいこと、いっぱい覚えてますからね、いくらでもつづけられますよ。そのこと、渡辺さんにお伝えしたくて」

野口さんは、また胸を張った。任せてください、と自信たっぷりに。

僕は口に含んだサングリアをゆっくりと喉《のど》に流し込みながら、大きく二度、うなずいた。一つは、僕から。もう一つは、伊藤から——でいいよな、伊藤。

「ゆうべ、帰り際《ぎわ》に、亜弥に面白いこと訊《き》かれたんです」

「……どんな？」

「パパとあのひと、もし知り合いだったら、友だちになってた？　って」

野口さんはそこで言葉を切って、天を仰ぐように顎《あご》を前に突き出した。

つづく言葉は、なかなか出てこなかった。僕もただ黙って、待った。

野口さんは、ふーう、と長い息をついて、上を向いたまま言った。

「……なってない、と答えました」

僕は目を閉じた。伊藤がいる。寂しそうに、でもすべてを納得して受け容《い》れたように、笑っていた。

7

七月に入った。僕は出向先の会社に通いはじめた。あいかわらず雨がつづく空模様に調子を合わせたように、出向先の上司は親会社から押しつけられた僕に露骨な嫌悪《けんお》感《かん》を示し、十人ほどの部下も扱いづらそうだった。祥子の働き口もまだ見つからないし、転籍したあとは、子どもたちにもそれなりの話はしなければならないだろう。コップは揺れる。水の量はよくわからない。あとほんのわずか振幅が広がればアウトなのか、まだなんとかなるのか――なんとかしなくちゃだめなんだよバカ、と自分を叱《しか》れるうちはだいじょうぶなのだと思うのだが。

それでも、梅雨の晴れ間のような、ささやかな喜びはあった。

出向して三日目に、春山から会社に電話が入った。

「カルチャーショックで落ち込んでるだろうと思ってさ」

ひさしぶりに軽口を叩《たた》き、どうでもいい話なんだけど渡辺は喜ぶかもしれないと思ったから、と前置きをして、教えてくれた。

「シモキタでカラオケやったガキいるだろ、バカたれの二人組。俺、あいつらにふられちゃったよ。なんかさあ、看護学校だか美容学校だか知らないけど、九月から専門学校に行くんだってよ。だから、もうバカやってられない、って。バカにバカって言われるのって俺なんかむかつくけどさ、おまえ、嬉《うれ》しいだろ、そういうの」

図星だった。電話で話しているときも、受話器を置いたあとも、頬が自然とゆるんでいた。

チコちゃんとアキちゃん――だったっけ。二人は、なにかを卒業したのだろう。「そんなにカッコいいもんじゃないって」と春山は笑い飛ばすかもしれない。だが、「卒業すること」と「捨て去ること」や「逃げてしまう」こととは違う。教えてくれたのは、伊藤だ。

いつか二人は、あの頃のことを振り返って、おとなたちが風景にしか見えなかった自分に懐《なつ》かしさを感じるだろう。それが甘い懐かしさなのか苦い懐かしさなのかは知らない。ただ、懐かしむことができるのは幸せなんだ、と思う。「卒業」なら、それができる。伊藤は苦しかった日々を懐かしむことすらできない。あいつの古い友だちの一人として、僕はいま、そのことが、とても悲しい。

携帯電話をポケットから出した。僕たちも「卒業」しなければならないんだ、と思った。

僕たち――二人。

七月七日、天気はやはり悪かった。新聞やニュースはせっかくの七夕が雨にたたられたことを惜しんでいたが、僕たちの七夕は、夜空に星が見えていないからこそ成り立つ。

十四年前も、雨だった。雨の中、伊藤は非常階段の踊り場で煙草《たばこ》を三本吸って、飛び降りた。

煙草はきっと、湿気《しけ》っていただろう。


面会時間ぎりぎりの午後五時、僕は亜弥の病室を初めて訪ねた。ひさしぶりに見る亜弥の顔は、五月の頃より少しふっくらとして、そのくせすっきりしていた。

ベッドの脇《わき》の椅子《いす》に座って「よお」と声をかけると、亜弥は「裏切り者ーっ」と唇をとがらせて、そっぽを向いた。「なんでパパやママにホームページ教えたんですか」

「伊藤がそうしてくれって言ったんだ」

「……サイテー」

「いま、野口さんからいろいろ思い出を聞いてるんだって?」

「うん、まあね。けっこうネタが多くて、なかなか進まないけどね」

「いまは何歳になってる?」

「まだ小学一年生。もう、大長編だよね。大河ドラマ」

ゆうべ野口さんが話したのは、一年生の遠足で、料理人の名にかけて徹夜で豪華な弁当をつくった思い出だった。亜弥の初めての遠足――張り切るだろう、あのひとなら、思いっきり。

「パパは、いい思い出にしちゃってるの。でも、ほんとは違うんだよね」

「そうなの？」

「だってさあ、マジ、ちょー豪華なんだもん。ほんときれいで、美味《おい》しそうだったんだけど、豪華すぎて、みんな信じてくれないの。どっかで買ってきたんだ、って。すっごい悔しくて、いちばん文句つけてきた子のお弁当に砂ぶっかけて。先生にめちゃくちゃ怒られちゃった」

「いい話じゃないか」

「そんなことないじゃん」

「パパに教えてやれば喜んだんじゃないかな」

「うそ、落ち込んじゃうんじゃないの？」

まさか、と僕は笑った。そのあたりの親の気持ちをわかるには、もうちょっと亜弥がおとなにならなければいけないのだろう。

『伊藤真のお墓』は、家族で話し合って、このまま残すことに決めたのだという。

「消しちゃうと、あのひとのことが、ほんとにぜんぶなくなっちゃう気がするもんね」と亜弥は言った。あいかわらず、「あのひと」。それでも、亜弥は、これからも

「あのひと」を懐かしむつもりなのだろう。

「また思いだしたことがあったら書き込むから」と僕が言うと、「そうしてください。わたしもたまに覗《のぞ》いてみるから」と亜弥は言った。「一年に一度ぐらい、だけど」

――いたずらっぽく笑いながら。

「ねえ、お見舞いに来るのはいいけどさあ、もう時間遅いよ、晩ごはんだもん、病院ってごはん早いんだから」

「今夜、外に出ないか」

「え？」

「伊藤の最後に見た風景を、一緒に見てみないか」

一九八九年七月八日、未明――織姫と彦星《ひこぼし》の話を信じて、なにかを未来に託した？

そこまでロマンチックな男ではなかったと思うのだが。

「俺は行ってみたいし、亜弥にも来てほしいと思ってる」

「だって、病院から脱走したらヤバいじゃん、そんなの」

「いやならいいんだ」

ほんとうは、すべての手筈《てはず》を整えていた。病院の主治医には香織さんのほうから夜間外出の許可を特別にもらったし、伊藤の勤めていた会社と警備会社には、野口さんが、七階のフロアから非常階段に出られるよう頼み込んだ。野口さんは交渉にずいぶん苦労したらしいが、最後は「父親の命日に遺族が線香を手向けてどこが悪い」と押し切った。亜弥は、野口さんの「家族」で、伊藤の「遺族」――それでいい。

「午前一時に、一階のロビーに迎えに来るから。もし行きたいんなら、降りて待っててくれ」

「……なんで、そんなところに行かなきゃいけないの？」

「いやならいいんだ。亜弥が行きたいと思うんなら、連れていく。行きたくないんなら、べつにいい。きみが決めればいいんだよ」

　亜弥は掛け布団《ぶとん》を頭からかぶってしまい、「景色見て、なにするわけ？」と、くぐもった声で訊いた。

「卒業式だ」

「……なに、それ」

「とにかく一時だから」

　僕は立ち上がる。亜弥は掛け布団をかぶったまま、「行かないと思うけど、とりあえず来てみればいいじゃん」と言った。

その夜、僕が家を出る前に、『伊藤真のお墓』の掲示板に新しいメッセージが載った。

〈わたしたちは元気です。悲しいこともときどきありますが、家族みんなで支え合って、毎日を過ごしています。亜弥も大きくなりました。亜弥のことを、これからもずっと見守ってあげてください〉


そして僕たちは、真夜中の非常階段の踊り場で、卒業式を迎える。


亜弥は右手の松葉杖《づえ》で体を支え、コンクリートの手すりに左手で頰づえをついて、じっと街を見つめる。僕も隣で、向かい側のビル越しに夜空を見つめる。八階の踊り場が庇《ひさし》になって、雨はほとんど吹き込まないが、ときどき、はぐれたようなしずくが頰に触れる。

「あと何分ですか？」

「正確にはわからないけど……二時四十五分に守衛さんが見つけたらしいから、あと十分ぐらいじゃないかな」

答えて、煙草に火を点《つ》ける。

目の前にたなびく煙を、ときどき息を吹きかけて散らしながら、亜弥はベランダから飛び降りたときの話をした。

「頭から落ちるはずだったんだけどね。ベランダにダッシュして、跳び箱みたく手すりに手をついて体を乗り出すじゃない、で、体の重心が外にいっちゃった瞬間もわかったの。あ、落ちるんだな、って。あとは、でんぐり返りみたいに頭からいっちゃえば終わりだったのに……足から、だったの。自分で考えたのかどうかわかんないけど、足から落ちなきゃだめだって、絶対に頭から落ちちゃだめだって……なんでなんだろう……」

「あのひと」が守ってくれたんだよ、と言うのはさすがに照れるので、「人間って、そういうものだろ」と笑ってやった。ひとは、あんがい簡単には死ねない。死んではならない、とは言えなくても、死んでほしくない、とは言いたい。

「俺は、あれだけ伊藤の話をしてやったのに飛び降りたことのほうが、わかんないよ」

「そう？」

「なんのために毎晩がんばって書いたんだろうな、って」

「ハッピーエンドにならない話って、やっぱり弱いんじゃない？」

他人事みたいに軽く言って、「どんなに途中が楽しくても、最後は悲劇なんだもん」と声を沈めて付け加える。

「悲劇……なのかな」

「悲劇でしょ、それは、ひとが死んじゃうんだから」

分別くさく言って、「でもね」と急に子どもっぽい口調になってつづける。「そのおかげでパパに巡り会えたわけだから、幸せな悲劇ってのも、あり、かもね」

僕があいまいにうなずくと、亜弥はさらに幼い口調になって付け加える。

「かわいそうかな、そんなこと言っちゃうと、あのひと」

「いいよ、いじめてやれ」

「だよねーっ、ちょー身勝手なんだもんねーっ」

けらけらっと笑って、また声が沈む。

「あのね……ママに言われたの。いろんなつらいことがあっても、最後は絶対にハッピーエンドにしなさいよ、って。おばあちゃんになって死ぬ直前でいいから、けっこうハッピーエンドじゃんって思えたら最高だ、って。わたしの人生がハッピーエンドだったら、あのひとの人生も一発逆転で、終わってからハッピーエンドになるんだって」

さらにまた、幼い声で――「こーゆーの、供養《くよう》っていうの?」。

亜弥の心のコップも揺れている。危なっかしく、はらはらさせながら、でも、こぼれそうになった水を手で受けてくれるひとは、ちゃんといる。目の前の世界にも。遠い遠い世界にも。

一本目の煙草を吸い終えたとき、思った――伊藤、おまえは震えながら吸ったんじゃないのか?

二本目の煙草は、僕の話をしながら吸った。

「リストラされちゃってさ、これから大変だよ」

「課長代理でもリストラされちゃうの?」

「課長代理だからリストラされるんだよ」

中間管理職の、そのまた隙間《すきま》のような立場の弱さを理解するには、まだ亜弥は幼すぎる。生前の伊藤にもわかってはいなかっただろう。あの頃の僕が、リストラは定年間際《まぎわ》の連中のものだと思い込んでいたように。

「不景気だからリストラされちゃうんですか?」

「まあな」

「でも、バブルの頃って、すごかったんでしょ?」

「……忘れたよ」

歳《とし》を重ねるのは、それほど楽しいことではない。時代はどんどん悪い方向に転がっているようだし、僕にもう若くない。亜弥はあと十二年で伊藤の死んだ歳になる。そのとき僕は五十二歳。どんな暮らしになっているのか見当もつかない。いまより不幸せになっている可能性だって、かなり、ありそうだ。

かすかな風が吹く。煙草の煙が目に戻ってくる。前髪を掻《か》き上げると、思いのほか雨のしずくを受けていたのだろう、髪はじっとりと濡《ぬ》れていた。

「ねえ、渡辺さん」

「なに？」

「渡辺さんは自殺しちゃだめですよ」

「ああ……」

「わたしがおとなになって、結婚して、子どもができたら……今度はわたしのダンナさんとか子どもに、あのひとの話、してくれますか？」

風が少し強くなる。煙草の煙が目に滲《し》みる。

二本目の煙草――伊藤、おまえは泣きながら吸ったんじゃないのか？

「そろそろ、かな」と亜弥は頬づえをはずし、ギプスをつけた右脚を軽く叩《たた》いた。

二時半を回った。ビルの明かりはほとんど消えて、信号の赤や青や黄色が、雨に濡《ぬ》れた道路に映り込む。信号そのものの色より、水たまりに映った色のほうがくっきりとして見える。夜のいちばん深い時刻。踊り場の常夜灯の明かりが、雨を照らす。雨は闇《やみ》の中から落ちてきて、銀色に光って、また消えていく。

僕は三本目の煙草《たばこ》に火を点ける。

「どんなこと思ってたんだろうね、あのひと。おなかの大きな奥さんのことや、生まれてくる子どものこと、考えてなかったのかなあ」

「……考えられなかったんだ。だから、死んだんだ」

「やっぱり身勝手だと思いません？」

「思うよ」

「弱いですよね、すごく」

「俺もそう思う」

たてつづけに吸う煙草の三本目は、味や香りより、喉《のど》を刺す痛みのほうが強い。

車の影が絶えた通りを、一台のタクシーが走ってきて、僕たちのいるビルの前で停まった。後ろのドアから、野口さんが降りてくる。傘を開きながら非常階段を見上げ、僕たちに気づくと、どうも、と傘を上下に振って、ビルに駆け込んだ。タクシーはハザードランプを点滅させたまま、その場に停まっている。亜弥を迎えに来た車だ。亜弥は、「父親」と一緒に帰る。それを伊藤も望んでいるはずだから。

「パパ一人かあ……」

拍子抜けしたように、亜弥は言った。「せっかくだからママも来ればよかったのに」とつづけて、「せっかく、ってことはないか」と笑った。

「いつも、命日はどうしてたんだ？」

「なにもしないよ、ふつうどおり」

それでいいんだよな、と納得してうなずくと、「あ、でも……」と亜弥は言った。

「ウチ、七夕のお飾りはすっごい本格的にやるの、いつも。お星さまとか折り紙のぼんぼんとか、ママが一人でたくさんつくるの。笹《ささ》も大きいの買ってくるし、短冊《たんざく》もたくさん書かせるし、ごはんもごちそうなの」

関係ないかな、と亜弥は首をかしげる。僕はなにも言わない。

三本目の煙草――伊藤、どんなふうに吸ってたんだ？

亜弥は背筋をピンと伸ばした。顎《あご》を持ち上げて、夜空を見つめる。

「身勝手で、弱くて……生まれ変わったら、ちゃんとやってよ、お父さん……」

聞こえたか――？

伊藤、聞いてくれたか——？

僕はまだ長い三本目の煙草を捨て、伊藤の吸えなかった四本目の煙草に火を点けた。ゆっくりと煙を吸い込んで、吐き出して、光を浴びる一瞬だけ銀色に輝く雨をぼんやりと見つめた。

鉄の扉が開いた。野口さんが穏やかな微笑《ほほえ》みを浮かべて、「亜弥、帰ろう」と言った。

亜弥は振り向いて、こっくりとうなずいた。

松葉杖を大きく振り出して、幅跳びをするみたいに野口さんの胸に抱きついた。

追伸

1

少年は六歳で母を亡《な》くした。小学一年生になったばかりの、初夏だった。

母は、前の年の暮れから大学の付属病院に入院していた。助からない病気だった。入学式までには絶対によくなって退院するからというのを支えに、全身に転移したガンと闘い、少年が学校からもらってきた入学式の記念写真を枕元《まくらもと》に置いて、亡くなった。享年《きょうねん》三十。とても優しいひとだった、と生前の母を知る誰もが言った。あんたのことをほんとうに可愛《かわい》がっていたんだから、と少年の頭を撫《な》でて涙ぐむひともいた。

告知はしていなかった。そういう時代ではなかった。昭和四十四年――付属病院の廊下は板張りで、歩くと軋《きし》んだ音をたてていたことを、少年はぼんやりと覚えている。

母の病名は、少年にも知らされてはいなかった。おなかの調子が悪いから入院して診てもらうんだと、父の話を信じ込んでいた。すぐに退院できるから、心配しないで。母にもそう言われていたし、たとえ言われなくても、母と二度と会えなくなるなど考えてもいなかった。

　実際、母は病気に苦しむ姿を少年にはいっさい見せなかった。病室を訪ねると、いつも笑って迎えてくれた。少年のおしゃべりに体を起こして相槌《あいづち》を打ち、シャツの襟《えり》を直してやり、気分のいいときには少年を連れて中庭に散歩にも出かけていた。入学式を過ぎた頃からそういうことができなくなり、自分でも死を覚悟するようになると、母は少年を病室に連れてこないよう父に頼んだ。見せたくない、と言った。痩《や》せてしまった顔、二十四時間態勢の点滴や排尿のチューブ、酸素マスク……そういうものをなにも見せず、元気だった姿のままで少年の記憶に残りたい、というのが母の願いだったのだ。

　亡くなったのは夜だった。少年は真夜中に起こされた。敬《けい》ちゃん、敬ちゃん、起きんさい。夢うつつの中で母に揺り起こされているんだと思ったが、そうではなかった。目を開けると、母の入院以来ずっと家に泊まり込んで家事をしてくれていた父方の祖母の顔があった。

　お母ちゃんに会いに行くけん、すぐに顔を洗《あろ》うて、服を着替えんさい。

　涙声だったように覚えている。ほんとうにそうだったのかどうかはわからない。三十年以上もたってしまうと、勝手な思い込みでつまらなく彩《いろど》られてしまった記憶もあるだろうし、ほんとうはたいせつなものが削《そ》ぎ落とされてしまった記憶もあるだろう。ただひとつ、はっきりと覚えていることがある。寝ぼけまなこで服を着替えた少年のいでたちを見た祖母は、少し考えてから、よそゆきの服に着替え直すよう言った。たぶん、それが――タクシーが病院に着くまでなにも話してくれなかった祖母の、せいいっぱい、だったのだろう。

夜間通用口から病棟に入った。二階にある病室ではなく、通用口のすぐそばの扉を開けて、いままで足を踏み入れたことのない廊下を進んだ。明かりはほとんどなかったと思う。おそろしく長い廊下だったような気がする。突き当たりに部屋があった。扉が何度か開け閉めされ、ひとが出入りしていた。

怖かった――？　あの夜の思い出を話すたびに訊《き》かれ、少年も記憶を振り返ってみるのだが、覚えている感情はなにもない。突き当たりの霊安室に入り、母方の祖母に泣きながら迎えられ、白いシーツで覆《おお》われた寝台の枕元にろうそくと線香があるのを見た、そのあたりで母が亡くなったんだと感じ取ったはずだが、驚きも悲しみも、記憶には残っていない。

部屋の隅の椅子《いす》に座っていた父が、黙って立ち上がり、黙って少年の肩を抱いて、寝台の脇《わき》まで連れていった。

父は、母の名前を呼んだ。敬一が来てくれたど、やっと敬一に会えたのう、よかったのう、と言いながら、母の顔を覆っていた白い布をめくった。

母は眠っていた。口に紅《べに》をさし、頰《ほお》もほんのりと赤く色づいて、綿を含ませてもらっていたのだろう、ふっくらとした顔つきには半年間の闘病生活の名残はなかった。

手を合わせてあげんさい、と父方の祖母が言った。

お母ちゃん、天国に行っても見守ってくださいいうてお祈りしんさい、と母方の祖母が言った。

少年は二人に言われたとおりにした。合掌のときに目をつぶったのは、誰かにそうしろと言われたからだったのか、子ども心に合掌のときはそうするものだと知っていたからだったのか、よく覚えていない。

だが、目を閉じていたのは確かだ。だから、霊安室に入ってきた叔母――母の妹が父を手招いたことにも、叔母の手に大学ノートが握られていたことにも、気づかなかった。

母の病室の片づけをしていた叔母は、ベッドの横の戸棚を整理していて、一冊のノートを見つけたのだった。ずっと付き添っていた母方の祖母も、父も、そんなノートがあることは知らなかった。

父を廊下に呼び出した叔母は、真っ赤に泣き腫《は》らした目でノートの表紙を見せた。『わたしの宝物の敬一へ』と、細い字で書いてあった。

母がノートに綴《つづ》っていたのは、闘病日記だった。最初の頃は、淡々とした記述がつづく。看護婦に言われた入院中の注意事項を箇条書きにしたり、食事の献立やお見舞いに貰《もら》った品のリストを書き出したり……。心情はほとんど綴っていない。少年へのメッセージも、特にはなかった。

そもそも、精密検査のためのごく短い入院のはずだった。一週間もあれば退院できるという話だったし、その頃の日記はたんなる備忘録といった体《てい》だった。

検査でガンが見つかった。子宮に原発したガン細胞は卵巣《らんそう》を冒し、リンパ腺《せん》によって全身に運ばれて、もはや手のほどこしようのない段階に来ていた。手術は年明けに一度だけ。ほとんどガンの塊になっていた子宮と卵巣を切除して、終わった。

手術後の日記は急に調子が変わった。一人息子だった少年に直接語りかける文章が出てくるのも、その頃からだった。

〈敬一、お母さんはもう赤ちゃんを産めなくなってしまいました。弟や妹が欲しいと言っていたあなたとの約束を破ることになってしまって、ほんとうにごめんなさい。

でも、お母さんは逆に、それでよかったのかもしれないなと思っています。お母さんは不器用な性格だから、敬一のほかに子どもがいたら、きっと半分ずつしか愛情を注げなくなってしまう。でも、もう敬一以外にお母さんの子どもはいません。あなたは、たった一人の子どもです。弟や妹と比べる必要なんてありません。あなたはわたしのたった一つの宝物で、わたしはあなたのたった一人の母親です〉

入院が長引き、体調が悪化するにつれて、日記の文字は乱れがちになり、文章も揺らぎはじめた。

〈背中が痛くて朝からずっと泣いています。敬ちゃん助けてください。敬ちゃんに会いたいでもこんなお母さんを見たら敬ちゃんは嫌いになってしまうでしょう？　お母さんは敬一に嫌われたら生きていけません。助けてください。嫌われるのはこわいけど会いたいです早く会いに来てください。敬一はお母さんのことを忘れたの？〉

体調のいいときには、日記の文章も明るくなる。

〈敬一へ。ランドセルを買ったとのこと、おばあちゃんから聞きました。よかったね。あんなに小さかった敬ちゃんがもう小学生だなんて、うそみたい。大きな病気や怪我《けが》もなくじょうぶに育ってくれたことが、お母さんはなによりも嬉《うれ》しくてしかたありません。人間は体が健康なのが一番なのだと、自分が病気になって、つくづく思います。

敬ちゃんの入学式までには絶対に病気を治して、一緒に行くからネ。がんばります〉

けれど、そう書いた翌日には、つらい言葉が記される。

〈朝から体がだるくて起きられず。食欲もなし。敬一のことばかり考える。もう二度と家には帰れないかもしれない。母も看病疲れでやつれてしまった。申し訳ないと思う。治る見込みのない病気だとすれば、母はいま、どんな思いでわたしに付き添っているのだろう。胸がちぎれるほど悲しい。駄目なら駄目でいいから、早く楽にしてほしい。みんなも楽になるだろう〉

母は、看病する父や祖母の目を盗んで日記を書き継いでいた。死の恐怖にさいなまれながら、少年への思いを切々と綴りつづけた。

〈ゆうべのことを婦長さんに謝る。真夜中になって、家に帰りたいとわがままを言ったのです。大騒ぎでした。あんなに泣きわめく体力があったんだと自分でもビックリ。敬ちゃん、今日は入学式ですね。一緒に行けなくてごめんなさい。でも、おばあちゃんが付いていてくれたから寂しくなかったよね？　一年なん組になりましたか？　友だちがたくさんできるといいね。でも、学校が楽しくなりすぎて、お母さんのことを忘れたら悲しいから、ときどきは思い出してください。お母さんはいつも敬ちゃんのことを考えています〉

少年とはもう会うまいと決めた夜も、日記をつけた。

〈敬ちゃん、今日はあまり話ができなくてごめんなさい。しゃべっても、声が小さすぎてよく聞こえなかったね。ごめんなさい。でも、あれがいまのお母さんには精一杯でした。おばあちゃんと一緒に帰るときの敬ちゃんの心配そうな顔を見ていて、涙が出てきました。こんなに小さな敬ちゃんに心配させるなんて、ほんとうに駄目なお母さんですね。敬ちゃんが帰ったあとでお父さんが病院に来てくれて、これからのことを相談しました。敬ちゃんにはもうお見舞いに来てもらうのをよそうと思います。お父さんは反対していましたが、こんなに弱ったお母さんを見たら、敬ちゃんの思い出にも、それが残ってしまう。敬ちゃんがお母さんのことを思い出すときには、病気になる前のお母さんの顔を思い出してほしいから、もうお母さんは敬ちゃんには会いません。今度会うときには、お母さんもごはんをたくさん食べて、病気を治して、元気イッパイのお母さんになっていますからね〉

その頃から、日記の文章は目に見えて少なくなった。病状が重くなって、二十四時間態勢で看護がつくようになったから――のちに、父は、日記をつけていることを知っていたなら一人の時間を増やしてやったのに、と悔やんだ。

〈吐き気治まらず。点滴二本。敬一に会いたい〉

〈熱。痛い。けいちゃんのゆめをみる〉

〈主人と話をしているうちに二人とも泣いてしまう。苦労をかけどおしだった。申し訳ないと思う。敬一、お父さんにたくさん親孝行してあげてください〉

〈腹水を抜いてもらう。少し楽になる。敬一のことを考える。わたしが死んだ後、けいちゃんはいつまでわたしのことをおぼえていてくれるのだろう。六才だからだいぶおぼえてくれると思うが忘れてしまうこともたくさんあるだろう。でも、けいちゃんの体にはわたしの血が流れている。わたしのたった一人の子どもだから、けいちゃんにとっても、わたしはたった一人のお母さん。それがうれしい〉

〈伝えたいことはたくさんある。もっと話したかった。でも、もう無理だと思う。絶望。病気がにくい〉

〈家に帰りたい。けいちゃんに会いたい〉

〈けいちゃん、お母さんは天国に行ってからも、ずっとけいちゃんのお母さんです〉

〈眠れず。吐き気ひどし。敬一の入学式の写真を見せてもらう。泣いた〉

〈けいちゃん、おかあさんのことをわすれないでください〉

　最後のページに書かれた言葉は、もう文字としてはほとんど読み取れなかった。毛糸くずをペン先で力なくなぞったような途切れがちの線で、ただ一つ、たぶんそうだろうと読み取れたのは、〈けい〉という言葉だけ。

母が亡《な》くなったのは、その三日後だった。


少年は、ずっとあとになってから日記を読んだ。

小学一年生の少年には、ひとの死の意味がよくわかっていなかった。もうお母ちゃんはいないんだと頭ではわかっていても、心がついていかない。学校に行く前に仏壇《ぶつだん》を拝むのが日課になっているのに、ときどき、ふっと父に訊いてしまう。――お母ちゃん、いつになったら帰ってくるん？ そんな幼い少年を母が命を削って書いた言葉に向き合わせるのは酷だ、と父は考えたのだろう。

父方の祖父母は、別のことを考えて、日記のことを孫に話さなかった。

母が亡くなったとき、父はまだ三十代半ばだった。いつまでも男手一つで息子を育てるというわけにはいかない――と考えるのが、あの頃はふつうだった。いずれ父は再婚をする。少年に新しい母親ができる。そのときに、亡くなった母親の思いのこもった日記が、かえって少年を苦しめてしまうのではないか……。

一方、母方の祖父母は、少年を引き取ると申し出た。そのほうが父も再婚がしやすいだろうし、なにより少年は、若くして亡くなった娘の忘れ形見なのだ。もしも父が再婚をしてしまうと、娘の生きてきた人生そのものまで消え去ってしまいそうな気がしていた。

だが、それには父方の祖父母が反対した。母親に死に別れ、父親からも引き離されてしまっては、この子があまりにもかわいそうだ、と頑として譲らなかった。綱引きのような格好になった。話し合いが何度も繰り返され、最後は両家の関係がすっかりこじれてしまったすえに、父方の祖父母の言いぶんが通った。

せめて——と、母方の祖父母は言った。せめて約束してほしい。父が再婚し、少年に新しい母親ができることが決まったら、そのひとが家に来る前に、日記を少年に読ませてやってほしい。

父は約束を守った。ある日、少年の前に古びた大学ノートを差し出して、お母ちゃんの形見じゃけん読んでみい、と言った。少年は小学五年生になっていた。ゆっくり読め、と父は言った。死んだお母ちゃんが敬一のことをどげん大切に思うとったか、よう嚙《か》みしめて、肝に銘じてから……日記のことは忘れてくれ。

言われたとおり、ゆっくりと、嚙みしめるように、少年は母の遺《のこ》した言葉を読んだ。途中で何度も涙した。おぼろげな記憶とアルバムの中の写真でしか会えなかった母の姿が、くっきりとよみがえってきた。語りかける言葉が声になって耳の奥に響いた。

まるく、優しい声だった。

次の日、父は少年からノートを取り上げ、これは大事なものじゃからお父ちゃんがしまっといちゃる、と言った。敬一がおとなになったら渡しちゃるけん、それまではお父ちゃんが預かっとく。

ノートをどこにしまったかは、わからなかった。訊いても教えてくれなかった。しつこく訊くと、父はカッとした顔になって少年を叱《しか》りつけた。もう日記のことは黙っとれ、いっぺん読んだら忘れてしまえ言うたろうが、と声を荒らげ、頬を打つ手振りをして少年を脅した。

その翌日、父は女のひとを家に連れてきた。

初めて会う、ぷくぷく太った、声の大きなひと。

父はきょとんとする少年を座らせ、照れくさそうに言った。

「敬一、このひとが、今日からおまえのお母ちゃんになってくれるんじゃ」

それが——かつて少年だった僕と、ハルさんとの出会いだった。

2

「まずいんじゃないの？　このままだと」

妻の和美が、手に持って開いた雑誌に目を落として言う。

「どこが」――答えはわかっていたが、僕はそっけなく返す。

「だって……」

和美の手にした雑誌には、僕の写真が載っている。

長いインタビューを受けた。『我が母を語る』という連載ページだ。政治家からスポーツ選手、芸能人まで、いわゆる「旬《しゅん》の人物」が登場して、母親の思い出を語る。すでに何年もつづいている名物企画らしく、話を持ってきた編集者は「母親を語ると、そのひとの人間像が浮かぶんです。ウチの記事がきっかけでファンになった、という読者も多いんですよ」と自慢げに言っていた。

僕も、自分で言うのも変な話だが、「旬の人物」の一人だった。それまでは会社勤めのかたわら年に一作か二作の小説を発表する地味な作家に過ぎなかったのが、半年前に、若手作家の登竜門と位置付けられる文学賞を受けた。

「ほんとうに、これでいいの？」

僕は黙ったまま、そっぽを向いた。

「お義母《かあ》さんも読むんじゃないの？　読まなくても誰かが見せるかもしれないじゃな

い。そのとき、お義母さんがどう思うか、あなた考えてるの？」

おかあさん――という声が耳に障《さわ》る。和美からすればほかに呼びようがなくても、やはり、違うんだ、と思う。賞を貰《もら》う前から、ずっと、それは変わらない。

僕にとっての「おかあさん」は、世の中にたった一人しかいない。亡くなった母にとって僕がたった一人きりの我が子だったように、僕の母親も、六歳のときに亡くなった母しかいない。

ハルさんは、確かに父の二人目の妻だった。

だが、僕の母親ではない。

和美はいつも、もどかしそうに言う。

「ねえ、それって、子どもすぎる考え方だと思うよ」

そうではない。僕はもう四十歳のおとなで、小学五年生と二年生の二人の息子の父親で、だからこそ――僕の母親は、あのひとしかいない、と思うのだ。

小学五年生のときに出会って、いまに至るまで、僕は一度もハルさんを「おかあさん」とは呼んでいない。

受賞直後の喧噪《けんそう》を冷静に振り返るような余裕は、まだない。四十歳にして初めて、陽の当たるところに出た。いくつものインタビューを受け、テレビやラジオにも出演し、締切がたてつづけに訪れる短編小説やエッセイを仕上げるのでせいいっぱいの半年間だった。もちろん、それはとても幸せなことで、いままでの生活が地味だったぶん、舞い上がっていなかったと言えば嘘《うそ》になってしまうだろう。

受賞後初めてのエッセイは、賞を主催する出版社の雑誌からの仕事だった。

「枚数もたっぷりとってありますから、自己紹介を兼ねた自分史のようなものがいいんじゃないですかね。そのほうが書きやすいでしょう」と担当のベテラン編集者に言われたものの、原稿はひどく難航した。そもそも、いままでエッセイの注文を受けたことなどほとんどなかった。いま自分が注目されているんだと思うと、それだけでプレッシャーを感じてしまい、ここで出来のいいエッセイを書けなければ「旬」はあっという間に終わってしまうぞと思うと、怖くて怖くてしかたない。

締切が迫った頃、「いかがですか？」と様子を窺《うかが》うメールを送ってきた編集者は、こんなアドバイスの一文を書いてくれた。

〈今回のご受賞を一番喜んでくれた家族の誰かに捧《ささ》げる、という感じでお書きになるといいんじゃないでしょうか〉

真っ先に浮かんだのは、母のことだった。

母が生きていれば、誰よりも喜んでくれただろう。いつ仕事がなくなるかわからない無名作家の日々も、母はきっと笑顔で僕を励ましつづけてくれただろう。

生きていれば――。

僕は受賞の喜びを、妻でも子どもでもなく、まず母と分かち合ったはずだ。

生きていれば――。

生きてくれていれば――。

死にたくなかっただろうな、と入院中の母のことを思った。幼い僕を遺して逝《い》かなければならなかった母の無念を思い、死に向かう病床で切々と書き綴《つづ》った日記の言葉を思うと、胸が締めつけられた。

しばらく考え込んだあと、居住まいを正してパソコンの画面に向き合った。

指が動く。言葉が画面に映し出される。

受賞をNHKのニュースで知った母がかけてきた喜びの電話――から、書き起こした。

嘘をついているという後ろめたさは、キーボードを叩《たた》いていくうちに消えていった。

これはただのウォーミングアップ、エッセイの文体をつかむためのものなんだから、という言い訳も、忘れた。

僕は母に再会した。

三十年以上の時をへだてて会った母は、あの頃と同じように優しいひとだった。

和美は『我が母を語る』が載った雑誌を、ため息交じりに閉じた。

「……ずーっと、こうするつもりなの？」

「ああ」僕は、わざと冷ややかに笑う。「べつに誰にも迷惑かけてないんだから」

「そんなことないでしょ。だって、ぜんぶ嘘じゃない、ここでしゃべってるのも」

「いいんだよ、作家は嘘をつくのが仕事なんだから」

「小説とは違うでしょ、でも」

「だからペンネームをつかってるんじゃないか。いいか、勘違いするなよ、作家の俺はほんものの俺とは違うんだ。もう、最初から虚構の存在なんだよ。フィクションなんだから、なにを書いてもなにを言ってもかまわないんだって」

出自や経歴を詐称《さしょう》していたことが死後にわかった作家の名前を、何人か挙げた。だからといって彼らの文学的な評価が下がったわけではなく、むしろそこにひそむ作家としての性《さが》や業《ごう》にあらためてたじろぐ声のほうが多かったんだ、ともつづけた。

「それはそうかもしれないけど……でも、お義母さんの立場がないじゃない。かわいそうだと思わないの？」

「そのかわり、おふくろが喜んでるよ」

病気で断ち切られてしまった現実の人生のつづきを、一人息子が物語っていく――それは母にとって、なによりの幸せではないか？


受賞後初めてのエッセイを書き上げたとき、ためらいは、まだ残っていた。

消すんだ、ほら、もうウォーミングアップは終わっただろう？　自分に言い聞かせた。実の母親が六歳のときに亡くなったっていう話のほうがウケるぞ、とも言った。

だが、パソコンの画面に並んだ言葉を目で追っていると、消してしまうのが惜しくなった。もったいない、というのではなく、せっかく再会できた母とまた別れてしまうのがつらかった。

母は、僕のたった一人の母なのだ。僕は、このひとから生まれてきて、このひとに抱かれて育ったのだ。

テキストファイルをメールに添付して、編集部に送った。画面の〈送信〉をクリックするときには、もう、覚悟はできていた。

原稿を読んだ編集者は、すぐに電話をかけてきて、感心した声で言った。

「いいお母さんですよね、ほんと。お母さんもいいし、息子も、また、いいんだなあ、これが。賞をとってやっと親孝行できたっていうのが、しみじみ伝わってきますよ」

エッセイの中で、母は僕の運動会には必ず最前列に陣取って、かけっこのときには周囲の親がびっくりするほど大きな声で応援してくれた。小学校の修学旅行のお土産に買った安物のキーホルダーを、財布に付けて、何年も使ってくれた。絶望的なほど売れなかった僕のデビュー作を街じゅうの本屋を回って一冊ずつ買ってくれた。

母が生きていたら、きっとそうしただろう、と思うことを並べた。僕の好物のロールキャベツを母の得意料理にして、帰省するたびにつくってくれるロールキャベツのサイズが少しずつ小さくなっていくことで、母の老いを描いてみた。やがて訪れるはずの母との別れを思い、その日が一日でも繰り延べられるように祈って、エッセイを閉じた。

「まあ、思いっきり意地悪に言っちゃうと、ちょっとマザコンっぽいところもあるかもしれませんけど、なんていうのかな、このエッセイ、お母さんへの思いがすごくまっすぐなんですよね。てらいなくまっすぐなものだから、ヘタなイチャモンを付けるほうが恥ずかしくなっちゃうっていうか……これ、読者にもウケると思いますよ。成功ですよ」

編集者は「実質的なエッセイのデビュー作でこれぐらい書けるんですから、今後はエッセイの仕事、増えると思いますよ」とも言って、さらにこんなふうにも付け加えた。

「エッセイで読者をつかむコツはね、自分の得意なフィールドをつくることなんです。いい意味での『毎度おなじみ』感っていうか、このテーマならこのひとに頼めばだいじょうぶ、っていうのを持つんです。あなたの場合なら、お母さんの話、いいかもしれません。ほら、いまは家族の時代ですからね、母親とはここまで優しいものなんだっていうのを、読者にも教えてあげてくださいよ」

テーマが自由なエッセイなら、意識的に母親の話を書いてみるといい。

僕はそのアドバイスを守った。いや、たとえ編集者がなにも言わなくても、母の思い出を書くのは楽しかった。母にまつわるエピソードを思いついて文章にすると、たちまちそれは現実の思い出になる——そんなおとぎ話が、どこかの国になかったっけ？

『我が母を語る』の女性インタビュアーも、僕の書いたエッセイを何編か読んでいて、取材前の挨拶《あいさつ》のときにしみじみ言った。

「いいお母さんですよね。なんか、理想的っていうか、いまどき嘘みたいな感じで……」

一瞬どきんとしたが、インタビューが始まると、言葉は、それこそ嘘のようになめらかに出た。取材のために考えてきたエピソードはもとより、アドリブで飛び出した話もいくつもあった。

母はよみがえった。生きることのできなかった時間を、僕の文章や話の中で、ゆっくりとたどりはじめた。

そして、ハルさんが僕の人生の中から消える。どうしても折り合いのつけられなかった義理の母親を、僕は静かに殺してしまった。

後悔は、していない。

3

少年と初めて会ったときのハルさんは、まだ三十前だった。「おばさん」よりも「おねえさん」のほうが近い。

会社のひとの紹介で知り合ったこと、生命保険の外交員をしていること、結婚式は挙げないが正式に入籍もすませ、近いうちに引っ越してくること……父は少年と目を合わせずに、ぼそぼそと言った。

少年はなにも応《こた》えられなかった。あまりに突然のことに、呆然《ぼうぜん》としていた。ハルさんも黙ったままだった。むすっとしていた。この子がわたしの息子になるの？　と不服そうな顔をしている——ようにも見えた。

名前は晴子。父はそのときすでに「ハル」と呼んでいた。あとで知ったことだが、父とハルさんは一年近く付き合っていた。入籍をためらっていたのは父のほうだった。これも、あとで知ったことだ。

少年は肩をすぼめ、ちらちらと上目遣いにハルさんを見た。太ったひとだ、というのが第一印象。次に、目の細いひとだ、とも思った。アルバムに残る母の顔とは全然違う。頰の肉が盛り上がって、自然とふくれつらになっているせいなのか、細い目がつり上がっているせいなのか、ちょっと怖そうな顔つきだった。こんな先生が担任だったら嫌だな。「母親」ではなく「先生」に重ねると、少しだけ気が楽になった。

父一人子一人の暮らしが、四年つづいていた。近所のおばさんたちがこまごまと世話を焼き、父方の祖母も月に何日か泊まり込んで家事をまとめて片づけてくれていたが、「おねえさん」の年格好のひとを部屋に上げるのは初めてのことだ。仏壇《ぶつだん》の線香のにおいが染《し》みついた居間に、化粧のにおいが広がっていく。甘く、むせそうなほど濃いにおいだった。

父は咳《せき》払いをして、少年に言った。

「今日からお母さんになるんじゃけえ、こんにちは、いうて挨拶せえ」

おかあさん――と聞いた瞬間、すぼめた肩がさらにこわばった。

胸が締めつけられる。日記のことを思いだした。二日前に読んだときよりも、ずっと深く、熱く。

おかあさんのことをわすれないでください、と書いていたのだ。お母さんは天国に行ってからも、ずっとけいちゃんのお母さんです、と書いていたのだ。

「敬一、ほれ、挨拶せんか」

父は気まずそうにうながした。「なにを照れよるんな、ちゃんと挨拶せえ」と少年の頭を小突き、ハルさんを見て、「人見知りする子なんじゃ」と苦笑した。

しかたなく、少年は消え入りそうな声で「こんにちは」と言って、頭を下げた。

ハルさんは、「はい、こんにちは」と軽く返した。調子をただ合わせただけのような、気持ちのこもっていない言い方だった。

「なあ」ハルさんは父に言う。「お線香、あげてええでしょう？」

「おう、そうじゃそうじゃ、あげたってくれや。女房も喜ぶけん」

「女房、いうて……」

「お、いけん、違うたの、前の女房じゃ」

ははっ、と笑う父の声が、急にねばついて聞こえた。ハルさんが父を呼んだ「なあ」という声の響きも、甘ったるくねばねばしていた、と気づいた。

ハルさんは畳に膝《ひざ》をついたまま、よいしょ、とボートを漕《こ》ぐように両手で体を前に運んだ。太い脚、大きなお尻《しり》、ツーピースの上着の脇《わき》や背中に窮屈そうな皺《しわ》が寄っていた。

仏壇の前に座ったハルさんは、一息つく間もなく線香にマッチで火を点《つ》け、線香を持った手をばたばたと振って火を鎮《しず》め、ひょい、という手つきで線香立ての灰に挿した。線香の煙が広がる前に、鈴《リン》を手早く鳴らし、両手を合わせる。落ち着きがない。ということは、心がこもっていない。まだ子どもの少年にも——まだ子どもだから、わかる。

合掌はほんの数秒だった。頭をぺこりと下げて、すぐに上げて、おしまい。仏壇にお尻を向けて父を振り返ったハルさんは、けろっとした顔で「台所、見せてくれる？」と言った。「直さないけんところがあったら、大工さんに来てもらわんといけんでしょう？」

少年はうつむいて、正座して揃《そろ》えた膝小僧をにらみつけた。怒りが胸に湧《わ》いた。だが、小学五年生の男の子の怒りは、胸の外に出たときには、悲しみになってしまう。

膝小僧をにらむ目から、涙がぽろぽろとこぼれ落ちた。母のことを思った。きっと母も天国で悲しんでいるだろう。お母ちゃん、と歯を食いしばって呼んだ。いままで母を思いだすことはあっても呼びかけることは一度もなかったのに、お母ちゃん、お母ちゃん、と繰り返すと、昨日まで目の前にいてくれたひとを失ってしまったような生々しい悲しみに襲われた。

少年が泣きだしたことに先に気づいたのは、ハルさんだった。先に立って台所へ向かう父を「ちょっと」と呼び止めて、「この子、泣いとるよ」と言った。突然の涙に戸惑って、そして、それを迷惑がっているような声だった。

「敬一、どげんしたんな」

父が近づいて、「恥ずかしいからいうて、泣くことはなかろうが」と笑いながら頭を撫《な》でようとした——その手を、少年は泣きながら払いのけた。

家を飛び出した。父は「敬一！　ちょっと待て！」と玄関まで追いかけてきたが、かまわず自転車にまたがって、ペダルを思いきり強く踏み込んだ。ハルさんが呼び止める声は聞こえなかった。玄関に出てきた気配もなかった。

街をあてもなく自転車で走りながら、母の日記を思いだしていた。記憶に残っている文章を何度も頭の中でなぞって、決して忘れずにいよう、と誓った。読み流して忘れてしまった文章がたくさんあることを、目をこすり、洟《はな》を啜《すす》りながら、悔やんだ。

陽が落ちた頃、家に帰った。居間では父が一人で酒を飲んでいた。

「ごめんなさい」が言えずに、黙って自分の部屋に入ろうとしたら、父は湯呑《ゆの》みに注いだ冷や酒を啜りながら、「新しいお母ちゃん、来週引っ越してくるけえの」と言った。

少年が黙っていると、父は「がさつなところはあるけど、気のええお母ちゃんじゃけん」とつづけ、座卓の下にあった包みを放ってよこした。デパートの包装紙にくるまれた、野球のグローブだった。

「お母ちゃんのプレゼントじゃ。せっかく買《こ》うてきたのに、おまえ、渡す前に逃げてしまうんじゃけえ……」

父は湯呑みを持ったまま肩を揺すった。笑おうとしてうまくいかなかったんだ、とわかった。

いまにして思えば——かつて少年だった僕が振り返ってみると、父のやり方はあまりにもまずかった。僕が父なら、もっと時間をかけて、徐々にハルさんと息子との関係をつくっていっただろうし、母の日記を、少なくともあのタイミングで読ませたりはしない。

もっと前から、たとえば父の知り合いという関係でハルさんと会っていたなら、あのひとの性格もわかっていたはずだった。物腰が乱暴で、細やかな心配りに欠けるところはあっても、決して悪気はない。

ハルさんにしても「お母ちゃん」になる前から僕と会っていれば、僕の内気で神経質な性格にすぐに気づき、仏壇に向かったときには、たとえお芝居でも、もうちょっとどうにかしていただろうな、と思う。

母の日記を読んでいなければ、母は幼い頃のおぼろな記憶の中にとどまったままで、二人の「お母ちゃん」を引き比べることもなかっただろう。

だいいち、父は、母の日記があることをハルさんに話していなかった。もしもハルさんがそれを知っていたら——僕がハルさんの立場なら、僕と仲良くなるまでは絶対に読ませないでほしい、と父に頼み込んでいたはずだ。

とにかくタイミングが悪かった。僕たちは不幸な出会い方をしてしまった。それだけのことだ。

そして、それが——すべて、だった。

一つ屋根の下で暮らすようになってからも、少年はハルさんに心を開かなかった。ハルさんも無理に少年との距離を詰めようとはしなかった。とりたてて用がなければ話しかけてこなかったし、声をかけて返事がなくても、それを叱《しか》ったり気に病んだりするわけでもなく、まあべつにええけど、というふうに少年をあっさり放っておいて、家事を忙しくこなすだけだった。

他人だ。少年は繰り返し自分に言い聞かせた。あのひとと僕は他人だ。血のつながりはない。僕はあのひとから生まれたのではないし、あのひとに育ててもらったのでもない。僕の「お母ちゃん」は、この世に、一人きりしかいない。

ハルさんは初婚だった。子どももいない。結婚後もつづけていた保険の外交の仕事は、月によっては自動車の部品工場に勤める父の給料よりも多い歩合給を得ることができた。

父方の祖父母は、ハルさんを歓迎した。「こげなコブ付きの家に、よう嫁に来てくれたなあ」と折に触れてハルさんに感謝し、少年にも「敬ちゃん、よかったなあ、お母ちゃんができて」と何度も言った。

逆に、母方の祖父母は、少年の家から自然と足が遠のいてしまった。電話をかけてくることもほとんどなくなった。少年宛《あ》ての手紙はときどき届いたが文面は妙に堅苦しく、他人行儀で、手紙の末尾に書く〈学校が休みになったら、遊びにいらっしゃい〉の文字はいつも遠慮がちに縮こまっていた。

ハルさんが引っ越してくると、すぐに台所の工事が始まった。流し台をそっくり入れ替える大がかりな工事になった。自分で金を稼いでいるハルさんは、家具を次々買い換えた。休みをつぶして納戸《なんど》や納屋《なや》の整理もした。少年が小学校に入る前から――母がまだ生きていた頃から家にあったものは、ほとんどなくなってしまった。

母の名残が消えていく。この家で母が暮らしていた日々が、あっという間に消し去られていく。

古い家具を処分するとき、父はなにも言わなかった。前妻の思い出を惜しむ様子もなかった。それどころか、「わしにもうちいと甲斐性《かいしょう》がありゃあ、新しい家に引っ越しするんじゃけど」と申し訳なさそうにハルさんに詫《わ》びるのだった。

引っ越してくれたほうがよかった。少年は自分の部屋にこもって夢想する。父とハルさんは新しい家に移って、新しい暮らしを始めればいい。そうすれば、自分はこの家に一人で残って、思い出と呼ぶには淡すぎる母の記憶と一緒に、幸せに暮らせるのに。

実際、新しい家を買う気になれば買えたはずだったのだ。父とハルさんの月収を足せば我が家の家計はじゅうぶん豊かだし、頭金がなければ、父方の祖父母が喜んで融通してくれただろう。

だが、ハルさんは引っ越しなど端《はな》から考えていなかった。「面倒くさいけん、ここでええわ」と言い、「古い家のほうが気をつかわんでもええし」と笑って、そのぶん家具や台所の設備に金をかけた。

クラスの友だちの誰の家にもなかったステンレスのシステムキッチンが、台所に入った。戸棚の奥にあった古い鍋《なべ》はそっくり新しいものに替わり、テレビでコマーシャルをしていた最新式の電子ジャーも入った。

数少ない母の思い出の一つ——台所仕事をする母にまとわりついて甘える少年に、母は、お釜《かま》に残ったご飯で小さなおにぎりをつくってくれた。おにぎりの表面にはうっすらと焦《こ》げ目がついていて、ご飯はお焦げのところが香ばしくていちばん美味《おい》しいんだと母に教わった。ほんとうに美味しかった。思いだせば思いだすほど、お焦げのおにぎりは美味しさを増していく。

電子ジャーで炊《た》いたご飯は、いつまでもほかほかと温かいが、お焦げはできない。

少年はご飯のお代わりをしなくなった。

「なんな、敬一、もうええんか？」

怪訝《けげん》そうに訊《き》く父は、ハルさんと再婚してから太った。飯が美味《うま》くてしょうがない、と笑う。台所仕事から解放されただけでも嬉《うれ》しいのだろう。

父にはなにも話さない。お焦げのおにぎりの思い出は自分一人のものだ。

黙って食器を片づける少年に、父は「あとで腹が空《す》くんと違うか？」と心配そうに声をかける。

それをぴしゃりと制して、ハルさんが言う。

「自分の腹具合ぐらい自分でわかるんじゃけん、ええでしょう、もう」

他人だから——そういうことが言えるんだ、と少年は思う。

不器用なひとだった。言葉にほんのちょっとまるみをつけるということが、できない。

いまなら、それがわかる。

家財道具をあらかた取り替えたハルさんは、ただ一つ、鏡台だけは捨てなかった。

納戸にしまうとき、父は遠慮がちに「ええんど、処分しても」と言ったが、ハルさんはそっけなく「こういうんは思いが残っとるけんね、捨てたらこっちも寝覚めが悪いけん」と答え、もっとつっけんどんな口調で「恨まれたら困るじゃろ」と付け加えた。そんな言葉の奥にある思いが、いまなら、わかる。言い方をちょっと変えてくれていれば、受け止めるほうも全然違っていたのにな、とも思う。

両親のやり取りを耳にした少年は、自分の部屋に駆け込んで、押し入れの布団《ふとん》の中に顔をつっこんで泣いた。鏡台を捨ててもいいと言った父を、許せなかった。母のことを幽霊や祟《たた》りのように言ったハルさんは、もっと許せなかった。

怒っているのに悲しくなってしまう。

けいちゃんに会いたい。母は日記に書いていた。

お母ちゃんに会いたい。少年は布団に声を染《し》み込ませる。

納戸のほうから父とハルさんの声が聞こえる。手狭な納戸に鏡台をうまく収めて、笑いながら話していた。せいせいした、と喜んでいるように聞こえた。

小学六年生になると、少年の週末の過ごし方が変わった。バスと国鉄を乗り継いで、片道三時間以上かかる母の実家に泊まりに行くようになったのだ。

土曜日の昼過ぎに家に帰ると、昼食もそこそこに出かける。祖父母の待つ母の実家に着くのはちょうど夕食時で、食卓には必ず少年の好物と、母が子どもの頃に好きだったおかずが並んでいた。

「お母ちゃんのこと、なんでもええけん教えてくれる？」

少年の頼みは、寂しい二人暮らしをつづける祖父母を喜ばせた。古いアルバムを開き、友だちから来た年賀状の束をほどき、母が子どもの頃に着ていた服を行李《こうり》から取り出して、思い出話はいつも夜遅くまで尽きることがなかった。

祖父母の語る母は、思い描いていたとおり、優しいひとだった。ずっと父親似だと言われてきた少年の顔立ちも、母の子ども時代の写真を見てみると、目元は母に似ていることがわかった。

居間の鴨居《かもい》の上に、少年が生まれるずっと前に亡《な》くなった曾《そう》祖父と曾祖母の写真と並んで、母の写真も額に入れて飾ってある。少年を連れて初めて里帰りしたときのスナップを引き伸ばしたのだという。だから、写真には、おくるみに包まれて抱かれた少年も一緒に写り込んでいる。それが、むしょうに嬉しい。家の仏壇《ぶつだん》にあるのは、和服姿に顔だけつないだ白黒の合成写真だった。結婚前に勤めていた紡績工場の社員旅行で撮った集合写真を切り抜いたらしい。笑う寸前にシャッターが押されてしまったみたいに、頬が少ししかゆるんでいない。仏壇の写真より、こっちのほうがずっとお母ちゃんらしい。祖父にねだって鴨居から額を下ろしてもらい、おでこがガラスに触れるほど顔を近づけて母と向き合ったこともあった。

日曜日の午後、祖父母は名残惜しそうに駅まで見送ってくれる。帰りの切符を買ってくれて、次に訪ねるときの切符代も含めて、お小遣いをくれる。

「またおいで」と祖母は言い、「今度は釣りに連れていっちゃるけん」と祖父は笑う。みんなで泊まりにおいで——とは、祖父も祖母も言わない。

家に帰るのは、夕方。父は「おじいちゃんとおばあちゃん、元気じゃったか？」と訊いてくるが、ハルさんはなにも言わない。父が「毎週毎週泊まりに行ったらおばあちゃんも迷惑じゃろうが」と顔をしかめるときも、ハルさんは黙って、なんの興味もなさそうにテレビを観《み》ながらごはんを食べる。

ひがんでいるんだ、と少年は冷ややかに、こっそり笑う。母が亡くなり、ハルさんが我が家に来ても、祖父母と孫の関係は変わらない。祖父母にとって少年は娘の遺《のこ》したたった一人の孫で、一度か二度しか会ったことのないハルさんの両親は、どんなにしても少年の「おじいちゃん」や「おばあちゃん」にはなれないのだ。

最初のうちは母の思い出話を聞くだけですんでいたが、毎週のように通い詰めていると、祖父母もさすがになにかあると察したのだろう、タイミングを見計らって「敬ちゃん、新しいお母ちゃんと仲良うしとる？」と訊いてくるようになった。

少年は、まあね、と笑う。よけいなことはなにも言わない。ハルさんをかばっているわけではなく、祖父母に心配をかけたくなかったのだ。

自分で決めたそのルールを破ったのは、七月――ハルさんが家に来てから、ちょうど一年目の土曜日だった。

いつものように午前中で授業を終えて家に帰ると、険しい顔のハルさんが待ちかまえていた。

「敬一くん、ちょっとここに座りんさい」

ハルさんは少年を「敬ちゃん」とは呼ばない。「敬一くん」と、必ず「くん」を付ける。

きょとんとする少年に、頬をこわばらせたまま、「座りんさい」と言う。

叱られる、と思った。思い当たる節はなかったが、ハルさんの口調や表情は明らかに怒っていた。

しかたなく、言われたとおりにした。

「今日も、あっちに行くん？」

「……うん」

「泊まるん？」

「……うん」

うつむいたまま答えると、ハルさんは「まあ、それはそれでええんじゃけど」と早口に言って、感情の高ぶりを抑えるようにため息をついた。

「あのな、敬一くん。うち、このまえお父さんから聞いたんよ、死んだお母さんの日記のこと」

少年の肩が、ぴくっと揺れる。うつむいた顔を、もう上げられなくなった。

「うち、知らんかった、なーんも」

ハルさんは苦笑して、「まいったなあ、思うたよ、ほんま……」とつづけた。

謝ったほうがいいのだろうか。わからない。ただ、ハルさんは単純に腹を立てて怒っているわけではないのだろう、という気はした。

「読んだんじゃろ？　敬一くん」

「……うん」

「うちも読んだ、さっき。ええこと、ぎょうさん書いてあったなあ。感動の日記やわ、あれは」

一瞬、言葉にトゲを感じた。表情で確かめるのが怖いから、少年はさらに深くうつむいてしまう。

「日記、どうするん？　あれは、お父さんでもうちでものうて、あんたが持っとく物じゃと思うけどなあ」

欲しい。それは、もちろん。

「お父さんも酷なことするなあ、いっぺんだけ読ませて、あとはお預けやて……ゆうべ叱っといたからな、お父さんのこと」

日記を返してくれるのだろうか。

おそるおそる顔を上げると、ハルさんと目が合った。むすっとした表情だったが、それは機嫌の良し悪《あ》しではなく、要するに地顔なのだと、一年間も一緒に暮らしていれば、その程度のことはわかるようになっていた。

「読みたいやろ？　これからも」

黙ってうなずいた。

「返してあげようか」

ハルさんはあっさりと言った。ふわっ、と気持ちと一緒に体まで浮き上がった感じになった。だが、それを上から押しつぶすように――「いまのままやと、返せんけどな」と言う。

「……いまのまま、って？」

「敬一くん、いまのあんたのお母さんて、誰なん？　うちやろ？　あんた、いつになったらうちのこと『お母ちゃん』って呼ぶんね」

言葉に詰まった。

「まあ、べつにうちはどうでもええんやけどな、そげなこと」

ハルさんはまた早口に言って、「ほいでも、日記を返して、死んだお母ちゃんが化けて出てくるようになっても困るけんね、うちのこと今度から『お母ちゃん』いうて呼んでもらわんと、日記は返せんわなあ」と、一息につづけた。

少年は黙り込む。今度は言葉に詰まったのではなく、もうなにも言いたくない、と決めた沈黙だった。

「日記、読みたいんやろ？　返してあげるけん、あんたの宝物にしときんさい。その代わり、言うてごらん、ほら、『お母ちゃん』なんよ、うちが、あんたの」

小突くように言うのだ、このひとはいつも。つんけんした口調には一年間でだいぶ慣れたはずでも、許せなかった。

少年は立ち上がる。

「いらん！」

一言怒鳴って、家を飛び出した。出会った日と同じように、ハルさんは追いかけてこなかったし、呼び止めもしなかった。

バスと電車に揺られて祖父母の家に着くと、こらえていたものが堰《せき》を切ってあふれ出た。

顔を見るなり声をあげて泣きだした少年に、祖父母は「なんかあったん？」と訊いてきた。

少年は泣きながら、ハルさんが母の形見の日記帳を返してくれないのだと訴えた。いったん話しだすと、言葉は次から次へと口をついて出てきた。ハルさんに意地悪なことばかりされるのだと言った。父が夜勤で留守の夜はごはんもろくに食べさせてもらえないのだと泣いた。竹の布団叩《たた》きで背中を打たれたこともあるし、学校の宿題でわからないところがあっても「自分で考えるんが勉強じゃろ？」と言って教えてくれないし、風邪《かぜ》をひいても心配してくれないし、しょっちゅう実家に電話をかけて父や自分の悪口を並べ立てるし、母の仏壇にご飯を供えるのをいつも忘れる。ほんとうの話もないわけではなかったが、ほとんどがでまかせだった。嘘《うそ》をついている後ろめたさよりも、胸がすうっとする快感のほうが強かった。

祖父母は何度も顔を見合わせ、眉《まゆ》をひそめたりため息をついたりした。それでも最後はとりなすように「お母さんも敬ちゃんのことは可愛《かわい》いんじゃと思うよ、可愛いけんキツうすることもあるんよ」と、しゃべり疲れ泣き疲れた少年が寝入るまで背中を撫《な》でてくれた。

翌朝早く、父が迎えに来た。少年が寝たあと、祖父母が電話をしたのだった。敬ちゃんの話はほんまなんか、と問いただしたらしい。

父はずかずかと部屋に踏み込むと、後ろから止める祖父の手を払い、まだ眠っていた少年の布団を引き剝《は》がして、頰を平手で張った。あわてて割って入った祖母にも、「あんたらには関係ないんじゃ！」と怒鳴った。

関係ない――父は確かに、そう言った。頰を押さえて泣きじゃくる少年に、「帰ったらお母ちゃんに謝れ」と命じた。お母ちゃん――父はもう、亡くなった母のことをそういうふうには呼ばない。

父は少年が泣きやむのを待って、荒い息を肩で継ぎながら、今度は諭《さと》すように言った。

「甘ったれたわがまま言うんも、ええかげんにせえや、敬一」

少年はしゃっくりをしながら、首を何度も横に振る。

「おまえも、お兄ちゃんになるんど」と父はつづけた。

来年の二月、弟か妹が生まれる。昨日の午前中――少年に日記のことを切り出す前、ハルさんは一人で病院に行って、妊娠を知らされたのだという。

「お母ちゃんの気持ちも考えちゃれや、のう」

父は静かに言った。もう一人の「お母ちゃん」の気持ちのことは、たぶん父の頭の中にはまったく浮かんでいなかったのだろう。

4

打ち合わせは店内のざわめきに追い立てられるような格好でテンポよく進んだ。

羽田空港の出発ロビーのコーヒースタンド――待ち合わせやフライトの時間待ちの客がひっきりなしに出入りする。仕事の話をするには最も不向きな場所だったが、新連載に張り切る若い女性編集者は、この店を指定した僕が恐縮する間もなく雑誌の説明を始めたのだった。

売れている雑誌ではない。同じように子育て中の母親をターゲットにしたライバル誌と比べると、部数も知名度も見劣りする。出版社じたい小さいから、原稿料もたいして期待できないだろう。

それでも、仕事を断ることは考えていなかった。そんな贅沢《ぜいたく》の言える立場ではない。文学賞の受賞から一年近くたち、どうやら僕の「旬《しゅん》」はあっけなく、同じ賞の過去の受賞者たちに比べてもかなり早く、終わってしまったようだった。ここ二カ月、インタビューを受けたことは一度もない。飛び込みの仕事もがくんと減った。「来月から連載でエッセイを書いていただけませんか」という注文は、だから、いまの僕にとっては、バラエティー番組によくある『風船ゲーム』で、針をつけた模型機関車がレール上の風船を割る寸前にかろうじて風船を救ったようなものだった。この一周はとりあえずクリア。次の一周がどうなるかは、わからない。

毎月の締切の日付と枚数を伝えた編集者――小島さんは、「問題はタイトルですよね」と、初めて話の主導権を僕に渡した。「なにかお考えになっているものってありますか?」

僕は首をかしげて、煮詰めたような苦いコーヒーを啜《すす》る。こういうときに気の利《き》いたタイトルがすぐに出てくるぐらいなら、「旬」はまだつづいていたはずだった。

搭乗案内のアナウンスがロビーに響いた。待ちびとは、いまごろ空港に向かうモノレールの中だろうか。懐《なつ》かしい相手だ。顔を見るのは何年ぶりになるだろう。誰よりも近い間柄で、けれど誰よりも遠い。こっちから会いたいと思ったことは、ほとんどない。

「どうしましょうか」小島さんは言った。「もしアレでしたら、タイトルはペンディングってことで、あとでまた電話とかメールで打ち合わせさせてもらってもいいんですけど」

テーマを絞り込んだエッセイではない。僕自身の日常生活から世の中の動きまで、ノンジャンルで自由に書いてほしい、というのが編集部のリクエストだった。

「読者層を考えると、やっぱりキーワードは『母親』になると思うんだけど、でも、俺、男なんだよなあ……」

弱音が、ふと漏れた。逃げ腰になってしまったと勘違いしたのか、小島さんはあわてて「そこがいいんですよ」と言った。「『夫』や『父親』の目線で書いてもらうと読者にとっても新鮮だと思うんです」

「視線」を「目線」と言い換えるひとは、あまり好きではない——どうでもいいことを考えて、打ち合わせのあとに待っている気詰まりな時間の重みをそらした。

「あと……ほら、『息子』っていう目線もありますよね。そういうエッセイ、けっこうお書きになってるじゃないですか。お母さんの思い出とか、わたし、読んだことありますけど、すごくよかったです」

ありがとう、と息だけの声で応《こた》えた。

母のエッセイは最近まったく書いていない。これからも書かないだろう。注文そのものも減っていたし、ありもしないエピソードをこれ以上つくりつづけるのは、さすがにもう限界だった。

目的は果たした。母は天国で喜んでいるだろう。現実には生きられなかった三十年以上の年月を、虚構の世界で生き直すことができた。僕の結婚式に涙して、孫を抱いてはまた涙ぐんで、五年前に夫を看取《みと》って、故郷で悠々自適の一人暮らしをつづけているところに飛び込んできた息子の受賞の知らせ……。幸せな人生だと思う。僕も幸せだった。ささやかな親孝行ができた。子どもの頃から背負ってきた寂しさを肩から降ろすこともできたのだと思う。

小島さんは、あ、そうだ、という顔になって言った。

「あの……ちょっといま思ったんですけど、手紙、どうですか?」

「手紙、って?」

「エッセイを手紙形式にするんですよ。ふるさとのお母さんに、東京のニュータウンに住む息子さんが近況を報告するっていう感じで。それだったら日常生活のことも書けるし、もっと大きな社会的な話もフォローできるし、子育て世代とおばあちゃん世代の橋渡しみたいなこともできると思うんですよね」

なるほど、とうなずいた。母は僕の文章の中でよみがえった。ならば、よみがえった母に伝える言葉があってもいい。母が生きていてくれれば、話したいことはいくつもあった。いまもある。これからも、たくさん出てくるだろう。この夏休み、水泳教室の特訓コースに通った甲斐《かい》があって、小学三年生の次男はクロールで百メートル泳げるようになった。私立中学受験を目指す長男は、先月の模試で予想外の高得点を取った。そんなことを伝えてやれば、母はきっと大喜びしてくれるはずなのだ。

「手紙っていうのは、いいかもな」

「ですよね？」

声をはずませた小島さんは、さっそく広げたノートにペンを走らせた。

「いま思いついたんですけど、たとえば、こういうのって……どうですか？」

まるっこい走り書きの文字で、〈前略おふくろ様〉とあった。

「昔のドラマのパクリですけど、こんな感じだと思うんですよ」

「俺、ガキの頃に観《み》てたよ、このドラマ」

「そうなんですか？」

「パート1が中学一年生の頃で、二年生の秋にパート2がオンエアされたんだ」

「わたし、DVDボックスの広告でしか知らないんですけど、萩原《はぎわら》健一が主演で、あと梅宮辰夫《たつお》とか桃井かおりとか出てたんですよね」

「そう。ショーケンが板前の修業しながら、田舎のお母さんに手紙を書くんだ。お母さん役が田中絹代で、最後は死んじゃうんだよな」

「死んじゃうんですか？」

「ああ……ひとりぼっちで死んじゃうんだよ、おふくろは」

「でも、よく覚えてますねえ。ストーリーはともかく、学年はふつう出てこないですよ、すぐには」

　苦笑いで受け流して、腕時計に目をやった。待ち合わせの時間が迫っている。「タイトル、やっぱり持ち帰って考えるよ」と話を終え、支払いをする小島さんとレジの前で別れた。

　待ち合わせの場所――ロビーに並ぶ時計台の5番を目指して、歩きだす。

　飛行機が発《た》つまで、話せる時間は一時間足らずだった。それでもかまわない、とにかく会って話がしたい、と言われた。楽しい話にならないことは、覚悟している。

待ち合わせの相手は、すでに来ていた。僕を見つけると、やあ、と軽く手を振って、「羽田まで呼びつけてしもうて、すみません」と頭を下げた。

「東京に出張に来るって、珍しいな」

「リストラで営業部もえらいスリムになってしもうて、残った者の守備範囲が広がったんですわ。もう、やれん、やれん」

今日も会社に戻ったら、すぐに会議があるのだという。「ほんま、地方はいけませんよ。どげん東京のほうで景気が底を打った言われても、信じられんけんね」と中途半端《はんぱ》な敬語をつかって笑う。仕事の名残があるような、ないような、これも中途半端な笑顔だった。

「昼飯、食ったか？　まだだったら、どこか……」

僕だって同じだ。店を探すのを口実に、つい目をそらしてしまう。

「いや、時間もないし、お茶でええよ」

「そうか……じゃあ、そのへんで……」

時計台の近くの、さっき打ち合わせをした店よりさらにざわついたコーヒースタンドに向かった。

「忙しいんやろ、お兄ちゃんも」

歩きながら、弟がぽつりと言う。僕は「もうピークは過ぎたよ」と正直に答えた。だから……とつづけかけた言葉を呑《の》み込んで、向こうの出方を見たほうがいいな、と思い直した。

先に立って歩く弟の背中は、僕より一回り大きい。大柄な体格は、母親譲りだ。

「健太、いくつになったんだっけ」

「もう二十八じゃけん、おっさんになってしもうた」

「なに言ってんだ、まだ若いよ」

十三歳違いの兄弟だ。嫌な言い方をするなら、腹違いの兄弟でもある。僕のエッセイには登場しない。僕のつくりあげた母の人生が現実のものであれば、生まれてくるはずのない弟――僕は、ハルさんだけでなく、健太のことも消し去ってしまったのだ。

「なあ、健太」

「はい？」

「おまえ、『前略おふくろ様』ってドラマがあったの覚えてるか？」

「聞いたことはあるけど……中身は全然知らんです」

覚えていないだけだ。パート1のときは、まだよちよち歩きもできない赤ん坊だった。パート2のときは、「ママ」「パパ」ぐらいはしゃべっていた。『前略おふくろ様』

は毎週観ていた。僕と一緒に。ハルさんに嫌な顔をされながら。

「で、そのドラマがどげんしたんですか？」

「いや、べつに……懐かしいなあって、ふと思っただけだよ」

笑いながら言うと、健太も「はあ？」とあきれたように笑った。さっきよりは素直な笑顔になったが、コーヒースタンドに入り、二人掛けの小さなテーブルに向き合って座ったときには、健太の頬はもうゆるんでいなかった。煙草《たばこ》をくわえ、火を点《つ》けて、ふう、とため息と一緒に煙を吐き出してから、僕を呼びつけた本題を――ハルさんと同じように単刀直入に切り出した。

「お兄ちゃん、なして嘘《うそ》をつくん？」

驚いたりたじろいだりはしない。予想していたとおりだったし、返す言葉も決めていた。

「作家は嘘をつくのが仕事だからな」

「ほいでも、エッセイと小説は違うやろ」

「同じだよ。信じるのは読者の勝手だし、俺の責任じゃない」

「……おふくろの気持ち、考えとる？」

「なにか言ってたか？」

健太は一瞬カッとした顔になったが、それをこらえて、ゆっくりとかぶりを振った。

「なんも言うとらんよ。ほいでも、読んどる、お兄ちゃんの書いたものはぜんぶ読んどるよ、おふくろは」

脇《わき》にそらした僕のまなざしを引き戻すように、「なあ、お兄ちゃん」とつづける。

「おふくろの気持ち、ちょっとは考えんかったんか？　あげなエッセイを書かれてしもうたら、もう、おふくろの立つ瀬がないが……」

健太は「おふくろ」という言葉を、まっすぐに口にする。その資格がある。ハルさんが誰かと話すときに「うちの息子」という言い方をするのと同じだ。僕は違う。ハルさんは僕の「おふくろ」ではないし、僕はハルさんの「うちの息子」でもない。

健太は運ばれてきたコーヒーを一口啜って、「ガキみたいなこと、せんでもええが」と言った。灰皿に置いた煙草のフィルターには、深い噛《か》み痕《あと》がついていた。

「悪口を書いたわけじゃないけどな」

「もっと悪いん違うか。悪口言われたら言い返せるけど、あげなことされたら、おふくろ、なにをすればええ？　なんもできんじゃろ。俺、おふくろがかわいそうでしょうがない、もう、ほんま、かわいそうじゃ……」

もっと強く、激しく怒りたいのだろう。僕の胸ぐらをつかみあげて、殴り飛ばせば、少しは気がすむのかもしれない。

　だが、健太にはそれができない。僕にはわかる。赤ん坊の頃から見てきたのだ。優しくて、気弱なところもある弟だ。母親が違うのだと知らなかった幼い頃は、うんと歳《とし》の離れた僕に「お兄ちゃん、お兄ちゃん」といつもまとわりついていた。大きくなって、僕の母のことを知り、僕とハルさんのぎくしゃくした関係を察してからは、いつも間に立って、ときには道化まがいのことをもして、なんとか「おふくろ」と「お兄ちゃん」の仲を取り持とうとしていた。いい奴《やつ》だ。十三歳離れた友だちとしてなら、僕たちは絶対にうまくやっていける。十三歳離れた兄弟だから、僕はふるさとに寄りつかなくなったのだと——それをうまく説明する言葉を持ち合わせない男が、なぜ作家だと名乗れるのだろう。

　健太はまた煙草をくわえた。きりきり、とフィルターを奥歯で嚙みしめる音が聞こえてきそうだった。

「お兄ちゃんの小説、俺も読んでみた」

「そうか……」

「けっこう泣けた」

「お世辞言わなくていいぞ」

「違うよ、ほんまなんよ。ウチの会社にも、お兄ちゃんのファンが何人かおる。俺、べつに宣伝したわけじゃないし、ペンネームじゃけん俺の兄ちゃんじゃいうのも知らんのじゃけど、みんな言うとるよ、お兄ちゃんの小説は優しい、って。こげな優しい小説書く作家さんは本人も優しいいんじゃろうなあ、って」

勝手に決めるなよ、と苦笑した。勝手に決めないでほしい、ほんとうに。

「そういうの聞いとるときの俺の気持ち、わかる？　なあ、お兄ちゃん……俺の気持ち、ほんま……俺やおふくろの気持ち、なんでわかってくれんのん……」

「わかるとかわからないとか、そんなのじゃないんだけどな」

「そしたら……復讐《ふくしゅう》しとるん？　おふくろに、いまになって仕返しをしとるん？」

それも違う。ハルさんを悲しませたくて母のエッセイを書いたわけではない。僕はただ、天国にいる母を――僕のたった一人の「お母ちゃん」を喜ばせたかっただけなのだ。

「健太が親孝行してやってくれよ、俺のぶんも。二人で恨んでてもいいし、そのほうが、なんか、俺もいいな」

「アホなこと言わんといて」

いらだたしげに煙草を灰皿に押しつけた健太は、険しい顔でテーブルに身を乗り出した。

「お盆に、なして帰らんかったん」

「……忙しかったからな」

「正月はどないするんな。正月ぐらいは帰ってくるんじゃろ?」

僕は黙って首を横に振る。

「なあ、ひょっとして、お兄ちゃん、もう田舎に帰らんつもりなんと違うか? おふくろと縁を切って、このまま一生会わんつもりで、それであげな嘘を書いたんか?」

今度は首を縦にも横にも動かさなかった。自分でもよくわからない。ハルさんのほうから「二度と顔を見せんといて」と言うのなら、そのほうが気が楽だろう。だが、最初からそれを望んでいるのかと訊《き》かれたら、やはり、よくわからなくなってしまう。

沈黙がつづいた。健太の乗る便の搭乗手続きが始まっていることをアナウンスが伝える。コーヒーは、さっきの店よりもっと苦い。

健太は気を取り直すように頬をゆるめ、「帰ってくればええが、正月に」と言った。

「俺もお兄ちゃんの予定に合わせて家に顔出すけん、一緒に酒でも飲もうや」

「陽子ちゃん、いくつになった?」

「いま三歳じゃけど……一月になったら四歳になる。もう幼稚園も半分すんだけんね、ほんま、早いよ、子どもは」

「じゃあ、陽子ちゃんが小学校に上がるとき、健太は三十か」

「そうなるんかなあ、うん、そうじゃな」

僕と母の歳と同じだ。あと二年で人生を断ち切られて、誰よりも愛している娘と別れなければならないのだとしたら、健太はなにを思い、なにをするだろう。そうなったときに初めて、健太にも僕の気持ちがわかってもらえるかもしれない。

「なあ、お兄ちゃん、ほんまに正月は帰ってきんさいや。おふくろも待っとるけん」

「まだ九月だからな、そんなに先のことはわからないって」

「ほいでも、なあ、帰ろうや。エッセイのこと、おふくろに謝るとか説明するとか、そげなことはなんもせんでええよ。よけいなことしゃべらんでも、一緒にコタツに入って、ぼーっとしとるだけで、それでもう、ええんよ。家族いうんはそういうもんなんじゃと、俺、思うとるけん……」

言葉の最後は、僕の携帯電話の着信音と重なり合った。メール着信——小島さんから。

〈先ほどのタイトルの件。いまデスクに相談したところ『前略おふくろ様』が大ウケでした。編集部としては、ぜひこれでいきたいのですが、いかがでしょうか〉

話をつづけようとする健太を制して、返事を送った。

〈了解〉

携帯電話のフリップを閉じると、健太はもう一度、念を押すように、最後の言葉を繰り返した。

「家族いうんは……そういうもんじゃと、俺、思うよ」

僕はなにも応《こた》えなかった。

5

ハルさんの妊娠中に、家から仏壇《ぶつだん》が消えた。母の位牌《いはい》は実家に移された。父が決めたことだったのか、祖父母がそうしてくれと頼んだのかは、わからない。仏壇を処分した日、四角い跡がついた壁を見て、父は「死んだ者のことをいつまでも思うとったら、生きとる者が先に進めんけんのう」とつぶやくように言った。少年に聞かせたかったのか、父自身に言い聞かせていたのか、母に言い訳をしていたのか、父が亡《な》くなったいまとなっては、もう、なにもわからない。

母方の祖父は少年が中学三年生のときに、祖母は大学二年生のときに亡くなった。

母には男兄弟がいなかった。叔母も嫁いでいたので、祖母の死後、実家を継ぐ者は誰もいなかった。家と土地は親戚《しんせき》が相続し、祖父母と母と先祖の位牌は菩提寺《ぼだいじ》に預けられた。祖母が生きているうちに養子に入って家を継ぐ手もあったんだな、と少年はおとなになってから気づいた。そのほうが家族の誰にとっても幸せだったんじゃないか、とも。

健太が生まれたときのことは、よく覚えていない。臨月に入って大きくふくらんだハルさんのおなかが、ある日を境に急にしぼんで、気がつくと赤ん坊が部屋で泣いていた——そんな感じだ。

記憶に強く残っているのは、〈命名　健太〉と筆で書いた半紙が神棚に掛かっているのを見たときの、寂しさと、悲しさと、悔しさだった。弟の名前は「敬二」になるんだと思い込んでいた。「健太」だと、まるで長男のようだ。いや、実際、父とハルさんの夫婦がつくる家族の歴史は健太の誕生から始まるんだと気づくと、よけい寂しくなって、悲しくなって、悔しくなって……半紙を的にしてピンポン球をぶつけ、糊《のり》で留めた半紙が神棚の縁から落ちるまでつづけて、父に叱《しか》られた。

「健太」と名付けたのは、ハルさんだった。男の子だったら「健太」、女の子だったら「康子」にするつもりだったらしい。

ハルさんも、あのひとなりに少年に申し訳なさを感じていたのか、健太が生まれて間もない頃、命名の理由を問わず語りに説明した。

「敬一くんのお母さんも、日記に書いとりんさったじゃろ？　人間は体が健康なんが一番なんじゃ、いうて。うちもほんまにそう思うけん、健康の健で健太、康で康子、敬一くんのお母さんの気持ちもこもっとるんよ」

おとなになってから聞かされたなら、受け止め方はまったく違っていただろう、と思う。

だが、中学生になるかならないかの少年は、ハルさんの言葉をすべて悪いほうにとった。踏みにじられた、と感じた。

母の日記を、ハルさんが読んでいる。母の思いを、ハルさんが勝手に盗んで、母とは関係のない赤ん坊に与えた。

「……返して」

細く、震える声で、少年は言った。聞き取れなかったハルさんが「うん？　なんか言うた？」と耳を寄せてきた。両手で胸に抱いていた健太から、ふうっ、とミルクのにおいがした。

「返せ！」

少年は叫んだ。ハルさんは一瞬たじろいだが、健太をしっかりと抱き直すと、少年をにらみつけた。

「言うたでしょう、前に。あんたが、うちのこと『お母ちゃん』いうて呼ぶまでは返さんよ、絶対に」

「返せ！」

「返してほしいんじゃったら、ちゃんとうちのこと呼びんさい！」

健太が泣きだした。その泣き声に、少年はさらに興奮して、ハルさんに詰め寄った。

「返せ！　返せ！　どろぼう！」

叫びながら、健太を抱くハルさんの腕を殴りつけた。ハルさんは短い悲鳴をあげて、少年に背中を向けた。

少年はまだ骨張っていない拳《こぶし》で、ハルさんの背中を何発も殴った。ハルさんは逃げなかった。両足を踏ん張って、腕を強く巻きつけて抱きしめた健太を、太った背中ですっぽりと隠して、守っていた。

やがて少年は拳を下ろした。その場にへたり込んで、泣きじゃくった。ハルさんが健太を抱いて部屋を出ていったあとも、少年は一人で、幼い子どものように声をあげて泣きつづけた。

ハルさんはその日のことを父には話さなかった。父に叱られた記憶がないから、きっと、そうだろう。少年がハルさんの前で涙を見せたのも、その日が最後になった。

健太が生まれてから、ハルさんは仕事を辞めた。がさつで細やかな気配りに欠けるところはあいかわらずだったが、声がほんの少しまるくなった。物腰もやわらかくなって、ふとしたときに見せる表情にも優しさが増した。

「健太を産んで、母性に目覚めたんよ」――知り合いと電話で話しているときに、そんなふうに言ったのを、聞いた。

確かにそうかもしれない。いまなら、思う。

考えてみれば、子どもとは縁のない暮らしをしていたひとが、いきなり小学五年生の男の子の母親になったのだ。どう接していいかわからずに戸惑うことも多かったはずだし、なめられてはいけないと気を張りすぎていたときもあるだろう。いまならわかるのだ、それくらいのことは、簡単に。

だが、少年は――まだ少年だった。ハルさんが優しくなればなるほど、この家に自分の居場所がなくなってしまうような気がした。ハルさんを「お母ちゃん」と呼んでしまうと、その瞬間、母の日記を手に入れるのと引き替えに、母が消え去ってしまうんじゃないかと思っていた。

ハルさんも「日記、やっぱり返してあげるわ」とは言ってくれなかった。あのひとも意地を張っていたのかもしれない。いまなら、そう思う。死んだひとに負けたくなかったのかもな、と苦笑いも浮かぶ。

もうやり直せないんだとあきらめてから、いろいろなことがわかるようになる。あきらめたから、わかる——のかもしれない。


母の日記を二度目に読んだのは、中学三年生の夏だった。

思いがけない再会になった。

「敬一、釣りに行かんか」

父が急に誘ってきた。まだ陽の高い夕方だった。工場が盆休みに入った初日のことだ。

お盆の間は殺生《せっしょう》をするものではない、と父はいつも言っていた。そういうことには意外に古風なハルさんも、ふつうなら「そげなことしたらいけんが、あんた」と父を咎《とが》めるはずだった。

だが、健太をおぶって台所仕事をしていたハルさんは、釣り竿《ざお》を持った父が「ほな、行ってくるわ」と声をかけると、流し台に向かったまま「気をつけてなあ」としか返さなかった。父も言い訳めいたことは口にせず、さっさと外に出て、車に乗り込んだ。なにかあるんだろうな、と少年にも察しはついた。まあ、べつにいいけど、と開き直って助手席に座った。父の誘いを断らなかったのは、逆にこっちから挑発するつもりもあったのかもしれない、十五歳だった。家族を最も嫌っていた時期だった。ささいなことでハルさんと言い争いをして、もう何日も口をきいていなかった。

車は、ふるさとの街を東西に分けて流れる川へ向かった。父が得意なのは、浅瀬に毛針を放り込んで虫と間違えたハヤをひっかける、「かがしら」という釣りだ。夕陽のまぶしさに毛針の動きをうまく合わせれば、一時間で二十尾近く釣ることができる。

だが、父は浅瀬の場所をほとんど吟味することなく、「このへんでええか」と車を停《と》めた。「かがしら」にはもっと陽が傾いてからのほうがいいのだが、かまわず河原へ下りていった。

少年も黙って後につづく。車の中ではとりとめのない話しかしなかった。本題はいまからなのだろう、と覚悟を決めた。

釣りを始めた。ゴムサンダルを履いて浅瀬に入り、手首をしゃくるようにして毛針で川面《かわも》を叩《たた》いては引き上げる。あんのじょう、当たりはぴくりとも来ない。

「のう、敬一」

　父がぽつりと言った。「ここの河原、覚えとるか」と毛針を放り込み、「もう忘れたかのう」と引き上げる。

「ここで……なにかあったの？」

「昔は、もっと水も深かったんじゃ。お盆になると、灯籠《とうろう》流しの舟がぎょうさん流れての……死んだお母ちゃんの初盆のときも、ここから舟を流した」

言われて、ぼんやりと思いだした。

「昔は、どこの家でも灯籠流しをしとった。送り火の晩に、舟にろうそくを立てて、お菓子やらなんやらも積んで……川がぼうっと明るうなるんよ。きれいじゃったよ。他の舟は途中でひっかかって止まったりするんじゃけど、お母ちゃんの舟は、川の真ん中を流れていって、最後に見えんようになるまで、まっすぐ流れていったんじゃ」

川が汚れるから、と灯籠流しが禁止されたのは、その翌年のことだったという。

「もう忘れたか」と父は苦笑して竿を立て、「まあ、それでええよ、昔のことなんじゃけえ」と竿を寝かして、毛針をまた川に放り込む。

少年も同じように竿を操りながら、川面を見つめる。夜の闇《やみ》の中、川面にろうそくの明かりを映し込んで流れていく無数の小舟を思う。父と一緒にそれを目で追う幼い自分のことも、思う。

「お母ちゃんと、口きいとらんのじゃて？」

父は言った。この「お母ちゃん」は、ハルさんだった。

「まだいっぺんも『お母ちゃん』いうて呼んでくれんのよ、いうて……お母ちゃん、つらがっとったど」

なにも応えずにいたら、父は顔のまわりを飛ぶヤブ蚊を手で追い払って、「お母ちゃんの気持ちもわかっちゃれや」と言った。

少年は黙ったままだった。父の話も途切れた。街のほうから、盆踊りの練習をする太鼓の音が小さく聞こえた。

「お、釣れた」

父の竿の針先に、ハヤが掛かった。

だが、父はハヤの口から針をはずすと、そのまま川に戻してやった。

「盆のうちは、やっぱり殺生しちゃあいけん。いまのも、どこぞのご先祖さんが帰ってきたんかもしれんけん」

「……うん」

「盆じゃのうても、殺生はいけん。やっぱり、生き死には、いけんよ、のう」

父は川の流れで手を洗い、ついでに顔を洗いながら、つづけた。

「敬一、お母ちゃんの日記、読んでみるか」

「え？」

「車の中に置いてあるけん、読みたいんじゃったら、読めや」

濡《ぬ》れた顔をランニングシャツの腹で拭《ふ》いて、竿をかまえ直す。

「いまのお母ちゃんには内緒ど。黙って持ってきたけん。今夜一晩、読んでええ。明日の朝、車の中に戻しといてくれ」

「……うん」

「それで気がすんだら、お母ちゃんに、もうちいと優しゅうしてやってくれや。アレも、ものの言い方にキツいところはあるけど、性根は優しゅうて、弱いんじゃけえ」

父はまたハヤを釣った。今度はヒレかどこかに針がひっかかっただけなのだろう、何度か竿を振るとあっさりとはずれ、ぽちゃん、と川に落ちた。

盆踊りの歌が聞こえる。スピーカーを通した、ひずんだ音だった。それがなにかの合図になったように、向こう岸の森で、蟬《せみ》がいっせいに鳴きだした。

「お母ちゃんの日記……ずっと持っとったら、いけん？」

少年が訊《き》くと、父は少し間をおいて、「いけん」と言った。

「なんで？」

「なんでも、じゃ」

「……なんで、いけんの？」

「敬一のお母ちゃんは、いまのお母ちゃんだけじゃ」

父はまた川の水で顔を洗った。ばしゃばしゃと乱暴に、顔を何度もこすった。


その夜、少年は母が遺《のこ》した言葉をすべてノートに書き写した。

最初に読んだときには気づかなかったが、病気が進むにつれて母の字は細くなっていく。ノートの罫《けい》の中に字が収まらなくなってしまう。最後の頃は、漢字をほとんど書けなくなっていた。「けいちゃん」とひらがなで書かれた文字をじっと見つめて、少年は歯を食いしばって泣いた。

約束どおり、日記は翌朝、父の車の物入れの中に返した。その次の日に物入れの蓋《ふた》を開けてみると、中にはもうなにも入っていなかった。

もう一つの約束は、守れなかった。少年はあいかわらずハルさんを「お母ちゃん」とは呼ばなかった。父にまた言いつけるのならそれでもいい、と思っていた。父が怒って、出ていけ、と言うのなら、出ていこう。

〈けいちゃん、お母さんは天国に行ってからも、ずっとけいちゃんのお母さんです〉

ノートに書き写したこの言葉があれば、一人きりでも生きていける、と思った。

6

『前略おふくろ様』の連載が始まった。

第一回目には、締切の何日か前に起きた幼児虐待《ぎやくたい》事件のことを書いた。同居する男とともに三歳の息子を虐待したすえに死なせてしまった、哀れで愚かな母親の姿に、長男の夜泣きにうんざりしていた頃の僕自身の姿を重ね、ずらし、遠ざけて、思いどおりにならないことに弱すぎる世代のもろさへと話をつなげ、幼い頃の僕をまるごと包み込んでくれた母に感謝した。

手紙で語りかける文体は、最初は書くのに苦労するだろうと思っていたが、パソコンに向かうと言葉は驚くほどすんなりと出てきた。原稿のために組み立てた言葉ではなく、ずっと胸にあったものが機会を与えられてやっと外に出てきた、そんな感じだった。

「お母さんへの呼びかけがいいんですよ、すごく」

小島さんに電話で褒められた。「お母ちゃん」と、ちょっと幼く田舎者めいた呼び方をしたのが、かえって読者の共感を呼びそうだ、という。「この調子でどんどんがんばってください」と励ましてくれた小島さんは、「お母さまにもよろしく」とも付け加えた。笑って「ありがとう」と応《こた》えるずうずうしさも、いつのまにか僕は身につけていた。

できあがった雑誌が送られてきたのは、十月終わりのことだった。外出していた僕に代わって宅配便を受け取った和美は、夕食前に帰ってきた僕をこわばった顔で迎えた。

「すごい連載、始めちゃったのね……」

「メシのためだからな」――冷ややかな言い方をすれば、少し楽になる。

「お母さんのエッセイ、もう書かないんじゃなかったの？」

「こっちが手紙を書くっていう企画なんだから、だいじょうぶだよ。それに、おふくろが生きてるなんて、なにも書いてないだろ。天国のおふくろに宛《あ》てた手紙ってことで、いいんだよ。勘違いするのは読者の勝手なんだからさ」

「……勘違いしたひとに、いつかほんとうのことを教えてあげるわけ？」

「なんだよ」無理に笑った。「からんでくるなあ、今日は」

和美はにこりともせず、「これ、一緒に入ってた」と一枚の紙を差し出した。編集部のネーム入りの原稿用紙――小島さんからの、礼状を兼ねたメッセージだった。

〈玉稿、編集部内でもたいへん好評でした。読者アンケートの結果が楽しみです。編集長もひじょうに乗っていて、一つアイデアを出してきました。お母さまからの返事も載せてはどうか、というプランです。最近の子育てママは、皆さん、『おばあちゃん世代』からのアドバイスや励ましの一言を待っているようです。エッセイを拝読していても、お母さまはとても魅力的なおばあちゃまだと察せられます。母と息子の往復書簡とまではいかなくても（そこまでいけば最高なのですが）、手紙をお読みになったお母さまからの一言が入るだけでも、よりいっそう魅力的なコーナーになるはずだと確信しています。いかがでしょうか。またご相談しますので、ご検討いただければ幸いです〉

読み終えるタイミングを見計らって、和美は「どうする？」と訊いてきた。「このままだと、ほんとうにまずいんじゃないの？」

僕は黙って、原稿用紙をくしゃくしゃに丸めてゴミ箱に捨てた。

ハルさんの手紙を、僕は一度だけ読んだことがある。ふるさとの家で暮らした年月の終わりに近い頃――高校三年生の僕は東京の大学に合格して、引っ越しの準備を進めていた。

「少年」と呼ぶほど遠くにはいない。といって、いまの僕とそっくり同じ「僕」でもない。河口の汽水域のように子どもとおとなが入り交じった十八歳の僕は、東京で一人暮らしができる、家を出ていける、その喜びで胸をはずませていた。

高校に入ってから、ハルさんとぶつかり合うことはなかった。距離を置くことを覚えた。このひとは食事の世話や洗濯をしてくれるお手伝いさん――そう割り切ってしまえば、中学の頃はいちいち耳に障《さわ》っていたハルさんのキツい物言いも、さらりと流れて消えていく。健太を可愛《かわい》がる姿も、ひらべったく目に映したあと、瞬《まばた》き一つで消せる。

ハルさんも、もう「お母ちゃん」と呼べと僕に強いることはなかった。おしゃべりでお母さん子の健太が、僕のぶんも「お母ちゃん、お母ちゃん」とまとわりつくのだから、それでいい。

「親子」になろうとさえしなければ、あんがい楽にやっていけるのだと知った。「お母ちゃん」という言葉をつかわなくても、たいがいの会話は成り立つ。笑うことだってできる。知らないひとから見れば、僕たちはそれなりに仲の良い二人だった。ただ

「親子」ではない、というだけで。

父はそれに気づいていたのかいなかったのか、高校時代にハルさんのことでなにか言われた記憶はない。幼稚園に通う、可愛い盛りの健太に夢中だったのかもしれない。かまわない。父はハルさんと再婚したときに、母を捨てたのだ。ハルさんを「お母ちゃん」と呼べと言った時点で、僕よりもハルさんのほうを選んだのだ。父、ハルさん、健太の三人家族で幸せになってくれればいい。邪魔はしない。ひがみもしない。僕は東京で一人で生きる。東京が僕のふるさとになる。この家を継ぐつもりは、まったくなかった。

上京の少し前だから、たぶん二月、もしかしたら三月に入っていただろうか、本やレコードを段ボールに詰めていた僕に、ハルさんが「敬一くん、ちょっとええ？」と声をかけて、居間に呼んだ。

おもちゃを出して遊んでいた健太に、珍しく強い口調で「外で遊んできんさい」と言ったハルさんは、健太が部屋を出ていくと、僕を座らせ、コタツに向き合って、居住まいを正した。

「敬一くんとは、まあ、いろいろあったけど……東京に行っても、体に気をつけて、元気でやりんさい」

芝居がかった言葉に、僕は笑って「わかった」と応えた。

「敬一くんの家は、ここなんじゃけんね、東京でなにかあったらなんでも相談して、いつでも帰ってきんさいよ」

わかったわかった、と二回うなずいた。

「それでなあ、敬一くん……うちもずっと考えて、迷うとったんじゃけど……これ、やっぱりあんたが持っときんさい」

古びた大学ノートが、コタツの上に置かれた。母の日記だった。

「何年ぶりになるん？　懐《なつ》かしいじゃろ？」

ハルさんは、父がこっそり僕に日記を貸してくれたことを知らない。ノートに書き写した日記を僕がときどき読み返していることも、そのノートを東京へ送る荷物の中に入れていることも、もちろん。

「まあ、ほら、東京に行って寂しいときは、これでも読んで元気出しんさい。あんたへのはなむけは、うち、これくらいしかしてあげられんけん」

僕は無言でノートを手に取り、そのまま、礼も言わずに——言う必要などどこにもないと思っていたから、自分の部屋に戻った。

日記を開く。文面はもうほとんど諳《そら》んじられるほどだったが、写しと実物とは、やはり違う。体調や心理状態によって揺れ動く文字と向き合うと、あらためて母の無念を思い知らされた。書き損じを消したところや、欄外に見舞客の名前を走り書きしたところにも、入院中の母のちょっとした息づかいがひそんでいるような気がした。

ページをぱらぱらと繰っていった。途中で紙のにおいを嗅《か》いでみた。病院の消毒薬のにおいが滲《し》みていれば嬉《うれ》しかったが、さすがにそれは残っていなかった。かわりに、簞笥《たんす》の塗料のにおいがする。ハルさんの買った簞笥の中にしまわれていたということが、むしょうに悔しい。

日記は、ノートの三分の二ほどを残して終わっていた。文章を書き写すだけでは伝わらないものがある。母の死のほんとうの悲しさは、なにも書けなかったノートの残りの部分に刻まれているのかもしれない。

ゆっくりと、嚙《か》みしめるように、黄ばんだページをめくった。

その手が――ぴくん、と跳ねて止まった。

ノートのおしまいのほうに、短い言葉が記されていた。

〈敬一くん　東京に行ってからも元気でがんばってください。困ったことがあったら、いつでも相談してください。たまには手紙や電話をください。母〉

僕はノートを持って、居間に駆け込んだ。コタツでテレビを観《み》ていたハルさんに、立ったまま、震える手でノートを突きつけた。

ハルさんはきょとんとして、「どうしたん？」とのんきな声で訊き、開いたノートを覗《のぞ》き込んで、「なに、もう読んでしもうたん」と笑った。

コタツの天板にノートを叩《たた》きつけた。ふくらんだ風船が割れるような音が響いた。

「消せ！　早《はよ》う消せ！　こげなもん！」

「……なに怒りよるん、あんた」

「お母ちゃんの日記じゃ！　よけいなもの書くな」

怒りが情けなさに変わる。ここまで無神経なひとだとは思わなかった。ひとの気持ちがなにもわからない。平気で、悪気なく、ひとの心を踏みにじってしまう。

最初は僕の剣幕に気《け》おされていたハルさんも、事情が呑《の》み込めると、逆に怒りはじめた。

「うちはあんたに手紙も書けんのか！　うちも、あんたの親じゃ！　死んだお母さんとおんなじじゃ！　どっちもお母ちゃんじゃ！」

「違う！　あんたは他人じゃろうが！」

ハルさんは細い目をカッと見開いて、僕をにらみつけた。

僕もにらみ返す。

先に目をそらしたのは、ハルさんのほうだった。「もうええけん、早う持っていきんさい」とそっぽを向き、厄介《やっかい》払いをするように手を振った。

「……いらん」

「なに言うとるん、お母ちゃんの形見じゃろう。カンシャク起こさんと、早う持っていきんさい」

「いらん、もう、こげなもの」

「うちの手紙がそげん気に入らんのやったら、そこだけ破いて捨てればええが」

「……ぜんぶ汚れたんじゃ、あんたが書いたけん」

「ちょっと、親に『あんた』言う子どもがどこにおるん」

「親と違う、言うたろうが！」

庭で遊んでいた健太が、怒鳴り声を聞きつけたのだろう、縁側のガラス戸に顔を張りつけて、こっちを見ていた。

それに気づいたハルさんは、決まり悪そうに笑って、僕に言った。

「返してもろうても、うちもいらんけん、捨ててしまうかもしれんよ。それでもええん？」

「……ええよ」

「ほんまに捨てるで？　びりびりに破って、捨ててしまうよ、うち。わかっとるん？」

僕はハルさんをにらみつけたまま、うなずいた。

「ほな、そうするけん！」

ハルさんは声を裏返らせて叫び、ノートを両手で持って、真っ二つに引き裂いた。

「こげなもん！　こげなもん！」と泣きながら、さらに細かく破っていく。

僕はなにも言わない。居間の風景が急にひらべったくなり、ハルさんの泣き声が遠くなった。感情はなにも湧《わ》いてこない。怒りでも悲しみでもなく、僕はコタツを蹴《け》りとばして、ひっくり返した。

十一月の初め、『前略おふくろ様』の二回目の締切日が来た。「お母さまのほうのスケジュールもあるでしょうから、お原稿は、前回より気持ち早めにお願いします」と小島さんに言われていた。

嘘《うそ》に嘘を重ねる覚悟を決めた。編集部のせっかくの提案を断ると、連載を打ち切られてしまうかもしれない――和美にはそんなふうに言い訳した。

手紙の題材は、数日前にコンビニエンスストアで見かけた、塾帰りの小学生たちの話にした。コンビニの店先でスナック菓子を貪《むさぼ》るように食べる子どもたちの、食生活ではなく心の貧しさを訴え、母がいつも用意してくれていた手作りのおやつを懐かしんだ。

書き上がった原稿をメールで送ると、小島さんからすぐに返信が来た。

〈快調ですね。お母さまがどんな返事を送られるか、いまからワクワクしています〉

パソコンの画面に向かった。僕の手紙に、母なら、どんな返事をよこすだろう。目をつぶって想像をめぐらせた。

いまの子どもたちに説教するようなことは言わないだろう。優しいひとなのだ。きっと、子どもたちの寂しさを受け止め、おやつをコンビニ任せにする若い母親への苦言もやんわりと……。

瞼《まぶた》を閉じてつくった淡い暗闇《くらやみ》が、ぴくぴくと波打った。ハルさんの顔が浮かんだ。僕をじっと見つめていた。悲しそうな顔だった。

7

大学時代、ハルさんとの思い出はほとんどない。帰省するのは夏休みや冬休みに、ほんの数日ずつ。その間も中学や高校の頃の友だちと遊びまわって、家には寝に帰るだけ、といったありさまだった。

東京の会社に就職することを決めたときも、結婚も、家族にはいっさい相談しなかった。父やハルさんにも、僕がふるさとには帰らないだろうという覚悟はできていたのか、反対されたり愚痴《ぐち》をこぼされたりということもなかった。

子どもができて、ハルさんとの関係は多少変わった。背を向けるのではなく、同じ部屋で別々のものを見る――その程度には、距離が近づいた。僕もおとなになったし、ハルさんにも若い頃のような物言いのキツさは減ってきたし、なにより「おばあちゃん」という呼び方ができるようになったから。

だが、やがて、僕のその場所に健太が居座るようになる。健太の奥さんの夕夏《ゆうか》さんは、紛れもなく「息子の嫁」だ。ぶつかることも多かったはずだが、和美に対するときのような、妙にまわりくどく遠慮するよそよそしさはない。健太の一人娘の陽子ちゃんは、ハルさんにとっては、たった一人の血のつながった孫になる。実家の居間には、陽子ちゃんの写真が飾ってある。我が家の二人の息子の写真は、和美が焼き増しして送ったものも何枚かあるはずなのだが、飾っていない。

「考えすぎだってば」和美は笑う。「健太さんは写真立てに入れてプレゼントしたから、お義母《かあ》さんもそのまま飾ってるのよ。ウチも今度からそうすればいいだけのことじゃない」

写真を飾ってほしいわけではない。僕はただ、ウチの息子たちが遊びに来たときぐらいは陽子ちゃんの写真をしまっておく気づかいがほしいだけで、それがわからないハルさんだから、もう、すべてをあきらめているのだ。

健太は地元の国立大学に進み、ふるさとの街で就職をした。いまは実家から車で三十分ほどの距離にある賃貸マンションに住んでいるが、近いうちに実家を二世帯住宅に建て替えてハルさんと同居するつもりだという。

あの家に、僕の居場所は名実ともになくなってしまうわけだ。恨みはしない。遺産相続がどうこうと言うつもりもない。五年前に父が亡《な》くなったときは、葬儀の裏方いっさいを健太が取り仕切ってくれた。長患《ながわずら》いをしていた父の介護も、ハルさんと夕夏さんが手分けしてこなしてくれた。あの家の主《あるじ》は、健太がつとめるべきなのだ。いつか訪れるはずのハルさんの葬儀の日に喪主をつとめるのも、もちろん。

小島さんが話の切り出し方を迷っているのは、すぐに見て取れた。『前略おふくろ様』のことだ。いままで三回の原稿はすべてメールでやり取りをしたのに、四回目にかぎって原稿を書きだす前に「お目にかかって打ち合わせできませんか？」と言われた、その時点で、なにか注文をつけられるだろうという覚悟はできていた。

ホテルのロビーラウンジで会った。三階まで吹き抜けになったロビーには、大きなクリスマスツリーが飾られている。クリスマスまであと三日――帰省の切符は、今年も買わなかった。

「あのですね……こっちの見通しの甘さをお詫《わ》びするしかない話なんですけど……」

短くぎごちない世間話のあと、小島さんは申し訳なさそうに言った。

「この前の原稿、出来がよくなかった？」

先回りして訊《き》くと、あわてて「そうじゃないんです」と首を横に振り、「エッセイは問題ないんですよ」とつづける。だとすれば、問題があるのは、一つだけだった。

「母親の手紙がまずい？」

「いえ、まずいっていうんじゃなくて、なんていうか……ちょっときれいすぎる感じがしちゃうんです」

「文章が？」

母の返事のコーナーは、ファックスで受け取ったものを僕がリライト――手直しをして編集部に送る、ということにしてある。

「ひっかかるところがないんですよ。話がなめらかに流れすぎて、文章とか言葉の選び方も端正で、ちょっとリアルじゃないんですよね」

胸が高鳴り、こめかみがひやりとした。テーブルの上に置いた最新号に目を逃がした。冬枯れの公園で遊ぶ母と子が表紙を飾っている。目の大きな可愛《かわい》い女の子と、すらりとしたお母さん。どちらもプロのモデルなのだろう。顔がちっとも似ていない。

「今度から、そこのところ、意識してやってみるよ」

雑誌を見つめたまま、言った。

「そうですねえ……」

煮えきらない様子で応《こた》え、しばらく黙り込んだ小島さんは、ためらいを振り切るように顔を上げ、「一つだけ確認させてもらっていいですか?」と言った。

「読者のはがきやメールに、いくつかあったんです。あのお母さんの手紙って、ほんとうはフィクションじゃないですか、って」

胸がまた高鳴った。まさか、と笑って、まなざしを表紙からさらに脇《わき》に逃がした。

「まあ、いくらなんでもそれは穿《うが》ちすぎなんですけど、ウチの雑誌の読者って、怖いぐらい親子の関係には敏感なんですよ。やっぱり、子育て中ってこともあるし、子どもを育ててると、自分と母親の関係も一緒に考えるみたいなんですよね」

そんな読者に――見抜かれたのだ、僕の嘘《うそ》は、あっけなく。

「だから」と小島さんはつづけた。「リライトのとき、あまり形を整えないほうがいいと思うんです。いまのままだと、息子さんのことわかりすぎてるっていうか、理想の母親っていうか、完璧《かんぺき》すぎるっていうか、いいひとすぎるんですよね」

後ろめたさは、感情を過敏にしてしまう。ハリネズミが身を守るために、全身の針を立てるように。

僕は口に運びかけたコーヒーカップをテーブルに戻し、身を前に乗り出した。

「どういう意味？」

「え？」

「いいひとすぎるって、どういう意味なの」

優しいひとなのだ、母は。それの、どこが悪い――？

「いえ、あの、すみません、そんなつもりで言ったんじゃないんです」

小島さんはたじろぎながら、それでも編集者としての職務を捨て去らずに、「ただ」と返してきた。

取材で、子育て中の母親にしょっちゅう会っている。育児に悩む母親の愚痴を毎日のように聞き、親バカの子ども自慢に付き合っているうちに、わかってきたことがある。

「親子って、もっとざらざらしてると思うんですよ。サンドペーパーとかマジックテープみたいなんだな、って。摩擦の力がすごく強いんですよ。だからピタッとくっつくようにわかり合えるときもあるし、逆に、ちょっとずれるだけで傷つけ合っちゃうし……」

生意気なこと言ってますけど、と小島さんは照れ笑いを浮かべた。僕はかぶりを振り、まなざしだけでなく体ぜんたいをどこかに逃がしたい気持ちで、テーブルの上の最新号をぱらぱらとめくった。

カラーグラビアやファッション記事には、いかにもモデル然とした親子が並んでいたが、モノクロの読者投稿ページにさしかかると、写真の風合いが変わった。頬をすり寄せて笑う親子の写真が、プリクラのフレームを模した枠を付けて、何組も載っていた。みんな笑っている。笑顔がマジックテープのようにくっつき合っていた。それがずれて、紙やすりになって、お互いを傷つけてしまう日も、いつか来るのかもしれない。

「いい写真でしょう？　みんな」

僕は黙ってうなずいた。

「わたし、リライトじゃなくて、お母さまがご自分で書いた返事をそのまま載せたほうがいいと思います。文字数はなんとか調整しますから、そうしてみてもらえませんか」

もう一言──「このひとたちの胸にちゃんと響くページにしたいんです」。

指差した先に、一枚の写真に添えられていた〈入院中でもママと仲良しで〜す〉という言葉があった。

「この子、まだ四歳なんですけど、心臓が悪くて、一年の半分以上は病院なんです」

小島さんは、ぽつりと言った。


「そんなの無理よ、無理に決まってるじゃない、できないって」

和美は顔の前で手を大きく横に振った。相談の「そ」の字にも至らないうちに、断られてしまった。

「でも、おまえだって母親なんだから……」

「だって、あなたのお母さんっていうことは、おばあちゃんになるわけでしょ？　書けるわけないじゃない」

「だったら、横浜のお義母さんに頼んでみてくれないかな。それだったらいいだろ」

「よくないわよ。『前略おふくろ様』なんでしょ？　ウチのお母さんはあなたのおふくろ様じゃないもん、そんなの嘘じゃない。これ以上嘘をつづけるぐらいなら、もうぜんぶ正直に打ち明けて、謝って、連載やめさせてもらえばいいじゃない」

和美は険しい顔で一息に言って、口ごもる僕に、今度は諭すようにつづけた。

「ねえ……あなたにはお母さんがいるのよ。ちゃんと、いるのよ。わかるでしょう？それくらい、わかってるでしょう？」

僕は眉間《みけん》に力を込めて、目をつぶる。連載はもう打ち切ってもらおう——そう決めて、悪かった、と言いかけると、和美にさえぎられた。

「そのままで聞いてくれる？　目、開けないで、よーく聞いてて」

「……なんだよ」

「飛行機のチケット、予約してあるから」

思わず浮き上がりそうになった瞼に、あわてて力を込めた。

「正月は帰らないって言っただろ」

「健太さんが予約したの。大晦日《おおみそか》の、向こうに夕方に着く便。番号は控えてあるから、いつでも買いに行けるよ」

「……なんでだよ」

「お義母さん、今年、還暦だったんだって。あなた、そんなの全然知らなかったと思うけど、お義母さん、まだお祝いしてないんだって。最低の還暦だよね、おめでたい年なのに、自分の存在を息子に消されちゃって、いなかったことにされちゃって……わたしなら泣いちゃうね、死んじゃうかもね……」

　目を閉じていろと言った理由が、わかった。和美は涙声になっていた。

「わたし、仕事のことはわからないし、連載やめちゃってもいいと思う。お義母さんにどうしても謝りたくないんなら、それでもべつにいいと思う。でも、会ってあげてほしい。帰ってあげてよ。お義母さんの息子なんだからって、言わなくても、わかるよ、それで」

「勝手なこと言うなよ、俺とあのひとのこと、なにも知らないくせに。もうだめなんだよ、あのひととは。絶対にうまくいかないんだ、会っても最後は嫌な思いするだけなんだよ」

「でも、親子でしょ」

「違う……違うんだよ、俺とあのひとは」

「親子に違うも違わないもないでしょ」

　僕は舌打ちして「わかってないんだ、おまえは」と吐き捨て、目を開けて、和美をにらみつけた。

約束を破ったことを和美は咎《とが》めず、入れ替わるように、赤く潤《うる》んだ目をつぶった。

「ねえ、想像してくれる？」

「え？」

「わたし、ガンです。二人の子どもを遺《のこ》して死にました」

「……なに言ってるんだよ、おまえ」

「いいから聞いて。あなたは再婚します。でも、再婚相手のひとに子どもたちは全然なつきません。いつまでも死んだわたしのことばっかり考えて、新しいお母さんを、『ママ』と呼ぼうともしません。何年たっても、おとなになっても、だめです。さあ、天国のわたしはどうするでしょう」

つまらない話するなよと顔をしかめ、ため息をついたが、和美は目を閉じたまま、「ちゃんと考えて」と言った。

「そんなの、想像なんかできないって」

「考えて」

「……わからないよ、なんにも」

「じゃあ、死んだお母さんの気持ちもわからないんだ、あなた」

和美は挑発するように、ふふっ、と笑って、「わたしなら」と答えを口にした。

「化けて出てきて、子どもたちをひっぱたく」

きっぱりと言った。


クリスマスの日に、小島さんからメールが来た。

〈メリー・クリスマス……と盛り上がりたいところですが、悲しい話をお伝えしなければなりません。先日の打ち合わせで、ちょっとお話しした心臓の悪い女の子、雑誌が発売された次の日に亡くなったそうです。今日、お母さまから丁寧な礼状をいただきました。写真が載った雑誌はお棺に一緒に入れたそうです。ごめんなさい。悲しみを押し売りするみたいで申し訳ないのですが、ご参考までに、と思ってお知らせします〉

母の葬儀のとき、退屈した僕は庭に出てチョウチョを追いかけていたらしい。「それがかえって不憫《ふびん》でなあ、みんなまた泣きだしたんじゃ」と言っていた母方の祖母も、僕が泣いたかどうかは教えてくれなかった。

いつか来るはずのハルさんの葬儀のときは――どうだろう。二人も母親がいたのに一度も泣けない息子ってのは、不幸なのか。それとも、とびきりの親不孝者なのか。

そんなことを思いながら、返信メールを送ろうとしたら、キーボードを叩《たた》くはずの指が、ぴくりとも動かなくなった。見慣れたパソコンの画面が、急にぼうっとにじみはじめた。

しばらく、そのままだった。

このひとたちの胸にちゃんと響くページにしたいんです——小島さんの言葉が、頭の奥の、奥の、うんと奥で、繰り返し聞こえていた。

体のこわばりがようやく取れると、僕は携帯電話を手に取った。決心が鈍らないうちに話を固めておきたかった。

電話を二本、かけた。

「ちょっと、それ、困ります。無責任じゃないですか、もうページだって組んであるんですよ」と小島さんは狼狽《ろうばい》して言った。すべてを正直に打ち明け、心を込めて謝ったつもりだが、たぶん許してはもらえないだろう。僕のエッセイを読んでくれていたひとたちも、みんな、きっと。

健太は「ありがとう、お兄ちゃん……」と言って、涙ぐんだ。「お母ちゃん、喜ぶよ、ほんま、喜ぶけん」

どちらの電話でも、理由を訊《き》かれて答える言葉は同じだった。

「おふくろが、そうしろって言ったんだ」

8

ひさしぶりに会うハルさんは、体が一回り縮んだように見えた。白髪が増え、皺《しわ》も少し出てきて、しぐさの一つひとつがゆっくりになった。

あらたまった話はしない。飛行機の中では「還暦、おめでとう」ぐらいは言うつもりだったが、居間に入り、あいかわらず陽子ちゃんの写真しか飾っていないのを見ると、まあいいや、という気になった。

「お母ちゃん、よかったなあ、お兄ちゃんらも帰ってくれて、今年の正月は大にぎわいじゃ、のう」

ビールのほろ酔いで顔を赤くした健太は、「そうじゃ、お母ちゃん、お兄ちゃんに見せてあげないけんもんがあるじゃろうが」と言った。

ハルさんは照れくさそうに「ええんよ、そげなもん、うちが惚《ぼ》け除《よ》けに勝手にやりよるだけなんじゃけん」と顔をしかめたが、健太は僕に向き直って、嬉《うれ》しそうに教えてくれた。

「お母ちゃんなあ、お兄ちゃんが出とる新聞やら雑誌やら、目についたもんはみんなスクラップにして、取ってあるんじゃ。ほれ、お母ちゃん、持ってきんさいや。田舎の新聞やら、お兄ちゃんが知らんもんもあるかもしれんのじゃけん」

ハルさんはまだ気乗りしない顔だったが、今度は和美が「うわあ、じゃあ、見せてください」と声をはずませたので、しかたなく隣の部屋から大判のスクラップブックを持ってきた。「ハサミを使《つこ》うとったら惚けんようになる、いうけん……」と一人で言い訳しながらコタツの上に置いて、「うちは手先が不器用じゃけんなあ、上手には貼《は》っとらんのよ、ほんま、いいかげんにしかやっとらんのよ」と、まだぶつぶつ言い訳をつづける。

ほんとうだった。健太が開いたスクラップブックを覗《のぞ》き込むと、思わず力の抜けた笑いが漏れそうになった。

どの記事も、もうちょっとまっすぐにハサミを入れればいいのに、切り取った輪郭がふくらんだり引っ込んだりしている。隣の関係ない記事の端っこの一行がくっついていたり、肝心の僕の記事の最後の一行が半分切り取られていたりするものもある。

がさつなひとだ。昔とちっとも変わらない。

スクラップの中には、僕が見るなり破り捨てた、辛口の書評家にこき下ろされた記事もあった。こんなものまで貼るところが無神経で、ほんとうに昔とちっとも変わっていなくて……。

エッセイの切り抜きもあった。母についての——僕が初めて書いたエッセイ。カッターナイフと定規を使ったのか、まっすぐ、丁寧に切り抜いてある。他の記事は一ページに何枚もまとめて窮屈そうに並んでいるのに、それだけはページの真ん中に、一枚きり、まるで飾るように貼ってあった。

健太が次のページをめくろうとするのを、僕は手で制した。じっと、切り抜きを見つめた。文章ではなく、カッターで切った、その輪郭を、食い入るように。

顔は上げない。和美がこっちを見ているのがわかるから、目が合うと自分がどうなるかもわかっているから、うつむいたままそっぽを向いて、カードゲームで遊んでいた息子たちにつまらない冗談を言った。

大晦日の夜が更《ふ》けていく。

話が途切れて座が白けないよう、健太はよくしゃべり、よく笑う。子どもたちも仲良く遊んでいるし、和美と夕夏さんは、子ども服の話や化粧品のおしゃべりで盛り上がっている。

だが、僕の一家と健太の一家、合わせて七人の客を迎えたハルさんは、一人暮らしの静けさに慣れているせいか、夕食の頃からちょっと疲れた様子で、口数も少なくなった。

紅白歌合戦の途中で、ハルさんはトイレに立った。その隙《すき》に、健太が僕に言う。

「おふくろ、喜んどるよ、ほんまに。ありがとうなあ、お兄ちゃん」

たいした話はしていない。還暦のお祝いは夕食の乾杯のときに、音頭《おんど》をとる健太や子どもたちに合わせて形だけ「おめでとう」と言っておいたが、エッセイのことはなにも言えないままで、たぶん、一泊二日の短い帰郷はこのまま終わってしまうのだろう。

「いやいや、なーんも言わんでもええんよ。しゃべらんでもわかり合える、それが親子なんじゃけん」

呂律《ろれつ》のあやしい声で、健太は言う。夕夏さんが「飲み過ぎよ、あんた」と軽くにらみ、和美は僕に「でも、もうちょっとあなたも愛想良くしてあげれば？　お義母《かあ》さんに」と小声で言う。

「まあな……」

「さっきスクラップブック見てたときに、なにか言うかと思ってたのに」

それが言えないのが、僕たちなのだ。

「ほんまじゃあ、義姉《ねえ》さんの言うとおりで、兄貴。しゃべらんといけん、しゃべらんとお互いの気持ちもわからんままじゃ」

健太はさっきと正反対のことを言いだして、夕夏さんが「はい、お水飲みんさい」とウイスキーのグラスを水のグラスに無理やり取り替えた。

そこに、ハルさんがトイレから戻ってきた。「外は冷え込んどるなあ」と言いながら、寒い寒い、と肩をすぼめてコタツに入って、ふーう、と一息ついた。

顔に、蛍光灯の明かりの具合なのか、影が差した。ほんの一瞬、ハルさんの顔がひどく老《ふ》け込んで見えた。

年を取ったんだな、とあらためて思う。このひとと僕は、長い年月を生きてきたんだな、と嚙《か》みしめる。僕の背負ってきた寂しさと、ハルさんの背中にある寂しさは、どちらが重かったのだろう。初めてだ、そんなことを思うのは。

テレビの画面は、僕が子どもの頃から歌っていたベテランの演歌歌手を映し出した。歌う曲も、ずっと昔のヒット曲だった。

ハルさんはテレビに目をやったまま、「敬一くん、仏壇《ぶつだん》、見たん？」と訊いてきた。

「来てすぐ、親父《おやじ》に線香あげたけど……」

「もういっぺん、線香あげんさい」

「はあ？」

「ええけん、線香あげんさい」

そっけなく言って、それ以上はなんの説明もしない。

しかたなくコタツから出て、昔と同じ場所にある、父が亡《な》くなってからつくった新しい仏壇の前に座った。

父の遺影にちらりと目をやって線香を二本つまんだとき——父の位牌《いはい》の奥に、もう一つ、古い位牌があることに気づいた。

母の位牌だった。

「年寄りの一人暮らしじゃけん、守り本尊さんになってくれるひとは、ぎょうさんおったほうがええが」

ハルさんはテレビから目を動かさずに言って、「欲しいんなら、持って帰ってもええけどな」とつっけんどんに付け加えた。

健太は困惑顔で、なにかとりなすように言いかけたが、僕は笑ってうなずいた。

「ここにおいてやってよ」とハルさんに言った。

ハルさんは、あいかわらず僕のほうには顔を向けずに、「お父ちゃんとお母さん、仏壇の中で仲良うしとるわ」と笑った。

僕は線香を立てて、二人の位牌に手のひらを合わせた。

お母ちゃん。

お母ちゃん。

口の中で、二度、つぶやいてみた。


紅白歌合戦が終わると、健太は「二年参りに行こうや」と言いだした。酒を飲んでいない夕夏さんの運転で、近くの神社まで出かけるのだという。

「ワゴンじゃけん、みんな乗れるじゃろ」と健太が指で人数を数えだすと、ハルさんは「うちは寒いけん、留守番しとるわ」と言った。

「そうか、まあ、風邪ひいてもいけんしのう……そしたら、何人じゃ、うちが三人で、兄貴のところが……」

「あなたも留守番してれば？」――和美が言った。僕に目配せして、念を押すように、小さくうなずいた。

僕も黙ってうなずき返す。

お母ちゃん。

お母ちゃん。

口の中で、また、二度つぶやいた。

ハルさんは「なんな、敬一くんも留守番か」と意外そうに言って、ふうん、となにか考え込むような顔になった。嫌がっているのかと思ったが、そうではなかった。ハルさんは踏ん切りをつけるように、「そしたらなあ、敬一くんに渡すものがあるけん、ちょうどよかった」と言ったのだ。


除夜の鐘が遠くから聞こえる。

テレビを消した居間で、僕はコタツに入ってノートをめくる。ときどきノートの文字がにじみそうになり、そのたびに手の甲で涙を拭《ぬぐ》う。

母の日記だ。

ハルさんが書き写した、母の日記が、僕の目の前にある。

「うちが死んでから、あんたにあげようと思うとったんじゃけどな」

ハルさんは仏壇の下の抽斗《ひきだし》からノートを出して、言ったのだ。「ほいでも、あと、もうなんべん会えるんかわからんけん」と笑って、はい、と回覧板を回すような軽い手つきで僕に渡したのだった。

「……なんで?」

びりびりに引き裂いたはず、だった。

「なんでいうて、捨てられんが、やっぱり、こういうものは」

引き裂いたノートを、ハルさんはゴミ箱には捨てなかった。菓子箱の中に入れて箪《たん》笥《す》にしまいこんだ。「うちもカッとしたら後先考えんことしてしまうけんなあ……」とハルさんは言って、「血はつながっとらんのに、あんたとよう似とるやろ」と笑った。

僕が上京したあと、菓子箱を取り出して、手紙のかけらをジグソーパズルのようにつなぎ合わせた。何日もかかった。最初はセロハンテープで張り合わせようとしたが、手先が不器用なのでなかなかうまくいかず、結局書き写すことにした。

ハルさんの字だ。けれど、ハルさんの字ではない。「敬一くんのお母さん、達筆じゃけん、大変じゃったんよ」——ハルさんは、一文字ずつ、ノートに記された母の字を真似《まね》て書き写していったのだ。

文字がまたにじむ。手の甲で涙を拭う。除夜の鐘が、また鳴った。その音に揺さぶられたように、文字はまたにじんでしまう。

さっきまで「テレビは目が疲れるけん」とイヤホンでラジオを聴いていたハルさん

は、コタツにもぐり込んだまま横になって、うとうとしている。寝たふりをしているのかもしれない、とも思う。

僕はノートのページをめくる。母の日記は、もうすぐ終わる。長い手紙が、終わる。最後の日の日記も、ハルさんは読み取れない文字を忠実に書き写していた。唯一読《ゆいいつ》み取れた「けい」の文字も、しっかりと、写してくれていた。

ノートは、本物の日記がそうだったように、三分の二ほどで終わっていた。余ったページをぱらぱらとめくる。このあたりにハルさんはよけいなことを書いていたんだな、と洟《はな》を啜《すす》りながら浮かべた苦笑いが、ふと、止まった。

最後のページに短い言葉が書いてあった。

〈追伸　敬一くん　わたしも天国に行ってからも、ずっと敬一くんの母親です〉

息を詰め、歯を食いしばった。

ノートを閉じて、また開く。最後のページをもう一度、眉間《みけん》に力を込めて見つめる。

立ち上がった。隣の部屋の押し入れから、掛け布団《ぶとん》を出した。たった一組の布団は、火の気のない部屋の押し入れの中で、冷たく、ぺたんこになっていた。

居間に戻る。仏壇を見つめ、深く頭を下げて、ハルさんの脇《わき》にかがみ込んだ。

ハルさんはやはり眠り込んでいるようだった。イヤホンが耳からはずれ、かすかないびきも聞こえる。僕はまた立ち上がり、両手に持った布団をファンヒーターの前にかざしながら、声をかけた。

「風邪ひくよ、お母ちゃん」

返事はなかった。揺り起こそうかと思ったが、いいよな、これで、と少しだけ温《ぬく》もった布団を肩から掛けた。

コタツに戻って、ミカンを食べた。酸《す》っぱさに顔をしかめ、口をとがらせて、誰が見ているわけでもないのに、照れ笑いを浮かべた。

除夜の鐘が鳴る。これでいくつだろう。もう日付は変わった。新しい年になった。

「お母ちゃん、明けましておめでとう」

ハルさんに掛けた布団が、小刻みに震える。

僕は二つめのミカンに手を伸ばす。

文庫版のためのあとがき

「卒業」というタイトルで作品集を編んでみたいと思ったのは、二〇〇二年秋のことである。同時期に執筆した『まゆみのマーチ』に始まり、ちょうど一年後に活字になった『追伸』まで、全四編――いずれも「小説新潮」初出時には単発の読み切り作品として掲載してもらったが、書き手の意識の中では、四編はゆるやかで淡いつながりを持った連作として構想されている。

そのつながりを自作自注のかたちで明かすことは、おそらくヤボの極みだろうし、もしかしたらとても重大なルール違反になってしまうかもしれないのだが、二〇〇四年二月に単行本が刊行された本書のためというより、いま、この小文を書いている二〇〇六年秋の僕自身のために、あえて書きつけておきたい。

連作にとりかかるにあたって、書き手として目論《もくろ》んでいたことは二つあった。

一つは、「卒業」という言葉から多くのひとが想像するとおり、始まりを感じさせる終わりを描くということ。その始まりが、たとえば「出発」や「旅立ち」といったものにつながってくれればうれしいし、終わりにしても、できるならそこに「和解」

のよろこびを溶かし込みたいと祈って、四編を書いた。

もう一つは、こちらは一編が四百字詰原稿用紙で百二十枚前後というボリュームからの要請でもあるのだが、リアルタイムで進む物語の中に、過去をどう織り込むかということ。思い出を持たない「卒業」は寂しい。たとえそれが苦い後悔ばかりだったとしても、四編の登場人物それぞれの「卒業」には、長い年月を生きてきた、その時の流れの厚みを持たせたかった。

そんな目論見がすべて果たせたとは――当然ながら、思わない。だが、不出来なところも含めて、本書は二〇〇四年二月の時点でのベストを尽くした作品集であり、僕自身にとってもなにかの「出発」になっていると信じて、補筆は明らかな間違いを正すのみにとどめた。

また、文庫化にあたって全編をひさしぶりに読み返してみて、もう一つの――当初の目論見にはなかった連作のつながりを発見できたことが、個人的にはうれしかった。雑誌初出時にも単行本刊行時にも意識していなかったのだが、四編はいずれも「ゆるす／ゆるされる」の構図を持っていた。それは、『卒業』以降に書いたいくつかの作品で意識的に繰り返してきて、今後も自分なりのアプローチをつづけていきたいと思っている構図でもある。その試みの始まりが本書だったんだと気づき、あらためて、自分にとっての「ゆるす／ゆるされる」の持つ重みを嚙《か》みしめた。『卒業』という作品集は――ちょっと生意気なことを言わせてもらえば、四十代の僕の原点になるのかもしれない。もちろん、かくのごときエラソーな評論家もどきの言葉を吐くには、まずなにより、読んでくださったひとから「少なくともカネと時間の無駄にはならなかった」という、最大にして唯一《ゆいいつ》の「ゆるし」を得なければ始まらないのだけれど。

＊

文庫版には解説という付加価値がつくのが一般的だが、思うところあって、本書は「解説なし」で文庫にしてもらうことになった。べつにややこしい理由ではなく、自分の本のために誰かの手をわずらわせることが申し訳なくなってきた、というだけのことなのだが、今後も基本的にはこのスタイルを踏襲しようと思っている。

代わりに、収録された四編についての簡単な作者ノートを記しておく。

＊

『まゆみのマーチ』（「小説新潮」二〇〇二年十二月号掲載）は、書き手の意識の中では、同年二月に刊行された長編『流星ワゴン』と対をなしている作品である。『流星ワゴン』で父と息子の物語を書いたあと、これが母親と息子・娘だったらどうだろう、と考えたのがきっかけだった。徹底して「受け容《い》れる」存在である母親を描きたかった。むろん、それこそが母性だ、などと言うつもりはない。ただ、作品中にある母親と息子の関係には、おふくろに優しく接したいと願いながらキツいことばかり言ってしまう（そして、あとで必ず後悔する）僕自身の姿が投影されていることは確かである。なお、本作を書いたあとで「今度はこういう母親じゃない母親を書きたい」という思いが湧《わ》いて、それが四作目の『追伸』につながる。

『あおげば尊し』（「小説新潮」二〇〇三年四月号掲載）については、後日譚《たん》を――。単行本が刊行されたあと、小学校時代の恩師の娘さんから連絡をいただいた。鳥取県で過ごした小学五年生の一年間だけお世話になったM先生である。無口でぶっきらぼうでおっかないオジサンだったが、転校生で吃音《きつおん》のあった僕のことをいつも気にかけてくれる先生だった。そのM先生が、年老いて認知症の症状が出て、息子さんの暮らす三重県の施設にいるという。ときどき「教え子のシゲマツ」のことをヘルパーさんたちに話しているという。会ってやってほしいと娘さんに言われ、仕事を調整して、一カ月後に出かけた。ほぼ二十年ぶりの再会だった。なにを話したわけでもない。先生は僕を見て泣いてくれて、ご機嫌のときにはいつも歌うという詩吟を歌ってくれた。

それだけである。先生の記憶の中にいる「シゲマツ」は、どうも長年の教師生活で出会ってきた教え子すべてが混じり合っているようで、僕の知らない僕の思い出を遠い目をして話す先生に、僕は（ひさしぶりに気持ちよく言葉をつっかえさせながら）相《あい》槌《づち》を打つしかなかった。でも、うれしかった。悲しくて、うれしかった。俺はいまM先生から「老い」を教わり、教師という仕事のすばらしさを教わっているんだと思い、先生はもとより息子さんや娘さんもお読みではなかったはずだが、『あおげば尊し』というお話を書いてよかった、と心から思ったのである。

『卒業』（「小説新潮」二〇〇三年八月号掲載）で描いた「自殺」のモチーフは、個人的に最も大きな――これからも繰り返し挑むはずの主題である。その意味で、本作は一九九五年に刊行された長編『舞姫通信』の、書き手の意識の中での続編と呼んでいいかもしれない。一九九五年には見えなかったこと、考えなかったことを、書いた。もちろん、これで決定版になったとはゆめにも思っていない。二〇〇六年の僕には、二〇〇三年の僕が見えなかったことも見えている。逆に、あの頃確かに持っていて、いまは失われた思いだってあるだろう。だから、書きつづけていきたいと思う。何度でも何度でも。

『追伸』（「小説新潮」二〇〇三年十二月号掲載）は、フリーライターの仕事をしていなければ生まれなかった物語である。某女性週刊誌でヒューマン・ドキュメンタリーの仕事を担当していた頃、幼い子どもをのこしてガンで亡《な》くなった母親の物語を書いた。その母親は発病から亡くなる間際《まぎわ》まで、子どもたちに宛《あ》てて日記を書きつづけていた。ノートに記された言葉の一つひとつに圧倒され、ライターの立場を忘れて涙しながら、その一方で、「こういうメッセージをのこされたら、ダンナさんは再婚できなくなっちゃうかもなあ」とも思った。それが、この物語の出発点だった。そして、「死にゆくひとは、のこされた家族になにを伝えるか」の問いは、のちに——何重もの屈折や転調をへて、二〇〇五年刊行の『その日のまえに』でも繰り返されることになる。

＊

雑誌初出時には、「小説新潮」編集部の藤本あさみさんと、小説誌の「短編」のスタンダードからすれば長すぎる四編を掲載してくださった同誌編集長の江木裕計さんに、たいへんお世話になった。単行本を担当してくださった中島輝尚さん、文庫版の編集の労をとっていただいた大島有美子さんにも、心から感謝する。大島さん以外の三氏は、いまは別の部署に異動になったものの、直接・間接にお世話になりつづけている。ワガママでカンシャク持ちの書き手は、ただただ、「ゆるされている」ことに感謝するのみである。

むろん、その謝辞は、装幀の大滝裕子さん、雑誌初出時に挿画を描いていただいた浅野隆広さん、単行本の装画の日置由美子さん、文庫版の装画の大高郁子さん……本書にかかわっていただいたすべてのひとに捧げられなければならない。

二〇〇六年十月

重松　清

この作品は平成十六年二月新潮社より刊行された。

重松清著　舞姫通信

教えてほしいんです。私たちは、生きてなくちゃいけないんですか？　僕はその問いに答えられなかった——。教師と生徒と死の物語。

重松清著　見張り塔からずっと

3組の夫婦、3つの苦悩の果てに光は射すのか？　現代という街で、道に迷った私たち。新・山本周五郎賞受賞作家の家族小説集。

重松清著　ナイフ
坪田譲治文学賞受賞

ある日突然、クラスメイト全員が敵になる。私たちは、そんな世界に生を受けた——。五つの家族は、いじめとのたたかいを開始する。

重松清著　日曜日の夕刊

日常のささやかな出来事を通して蘇る、忘れかけていた大切な感情。家族、恋人、友人——、ある町の12の風景を描いた、珠玉の短編集。

重松清著　ビタミンF
直木賞受賞

もう一度、がんばってみるか——。人生の〝中途半端〟な時期に差し掛かった人たちへ贈るエール。心に効くビタミンです。

重松清著　エイジ
山本周五郎賞受賞

14歳、中学生——ぼくは「少年A」とどこまで「同じ」で「違う」んだろう。揺れる思いを抱き成長する少年エイジのリアルな日常。

吉本ばなな著

うたかた
サンクチュアリ

人を好きになることはほんとうにかなしい——運命的な出会いと恋、その希望と光を瑞々しく静謐に描いた珠玉の中編二作品。

角田光代著

キッドナップ・ツアー
産経児童出版文化賞・路傍の石文学賞受賞

私はおとうさんにユウカイ(=キッドナップ)された！　だらしなくて情けない父親とクールな女の子ハルの、ひと夏のユウカイ旅行。

角田光代著

さがしもの

「おばあちゃん、幽霊になってもこれが読みたかったの？」運命を変え、世界につながる小さな魔法「本」への愛にあふれた短編集。

川上弘美著

おめでとう

忘れないでいよう。今のことを。今までのことを。これからのことを——ぽっかり明るくしんしん切ない、よるべない十二の恋の物語。

川上弘美著

ニシノユキヒコの恋と冒険

姿よしセックスよし、女性には優しくこまめ。なのに必ず去られる。真実の愛を求めさまよった男ニシノのおかしくも切ないその人生。

三浦しをん著

格闘する者に○《まる》

漫画編集者になりたい——就職戦線で知る、世間の荒波と仰天の実態。妄想力全開で描く格闘の日々。才気あふれる小説デビュー作。

三浦しをん著
人生激場
世間を騒がせるワイドショー的ネタも、なぜかシュールに読みとってしまうしをん的視線。乙女心の複雑パワー、妄想全開のエッセイ。

村上春樹著
螢・納屋を焼く・その他の短編
もう戻っては来ないあの時の、まなざし、語らい、想い、そして痛み。静閑なリリシズムと奇妙なユーモア感覚が交錯する短編7作。

村上春樹著
ねじまき鳥クロニクル（1〜3）
読売文学賞受賞
'84年の世田谷の路地裏から'38年の満州蒙古国境、駅前のクリーニング店から意識の井戸の底まで、探索の年代記は開始される。

村上春樹著
海辺のカフカ（上・下）
田村カフカは15歳の日に家出した。姉と並んだ写真を持って。世界でいちばんタフな少年になるために。ベストセラー、待望の文庫化。

梨木香歩著
裏庭
児童文学ファンタジー大賞受賞
荒れはてた洋館の、秘密の裏庭で声を聞いた――教えよう、君に。そして少女の孤独な魂は、冒険へと旅立った。自分に出会うために。

梨木香歩著
西の魔女が死んだ
学校に足が向かなくなった少女が、大好きな祖母から受けた魔女の手ほどき。何事も自分で決めるのが、魔女修行の肝心かなめで……。

梨木香歩著

エンジェル エンジェル エンジェル

神様は天使になりきれない人間をゆるしてくださるのだろうか。コウコの嘆きがおばあちゃんの胸奥に眠る切ない記憶を呼び起こす。

仁木英之著

僕僕先生

日本ファンタジーノベル大賞受賞

美少女仙人に弟子入り修行!? 弱気なぐうたら青年が、素晴らしき混沌を旅する冒険奇譚。大ヒット僕僕シリーズ第一弾!

畠中　恵著

しゃばけ

日本ファンタジーノベル大賞優秀賞受賞

大店の若だんな一太郎は、めっぽう体が弱い。なのに猟奇事件に巻き込まれ、仲間の妖怪と解決に乗り出すことに。大江戸人情捕物帖。

畠中　恵著

ぬしさまへ

毒饅頭に泣く布団。おまけに手代の仁吉に恋人だって？　病弱若だんな一太郎の周りは妖怪がいっぱい。ついでに難事件もめいっぱい。

江國香織著

こうばしい日々

坪田譲治文学賞受賞

恋に遊びに、ぼくはけっこう忙しい。11歳の男の子の日常を綴った表題作など、ピュアで素敵なボーイズ&ガールズを描く中編二編。

江國香織著

神様のボート

消えたパパを待って、あたしとママはずっと旅がらす…。恋愛の静かな狂気に囚われた母と、その傍らで成長していく娘の遥かな物語。

卒《そつ》業《ぎょう》

新潮文庫　し－43－9

平成十八年十二月一日発行
令和四年六月五日二十六刷

著者　重《しげ》松《まつ》清《きよし》

発行者　佐藤隆信

発行所　株式会社新潮社

郵便番号　一六二―八七一一
東京都新宿区矢来町七一
電話　編集部(〇三)三二六六―五四四〇
　　　読者係(〇三)三二六六―五一一一
http://www.shinchosha.co.jp

価格はカバーに表示してあります。

乱丁・落丁本は、ご面倒ですが小社読者係宛ご送付ください。送料小社負担にてお取替えいたします。

印刷・株式会社精興社　製本・加藤製本株式会社

ISBN978-4-10-134919-0 C0193